*For Fred, this small and humble book on Gandhi:*

*Boston, August 2002*

# GANDHI

Aux sources de la non-violence

Du même auteur

**Aux Éditions du Félin**

*En toutes libertés. Entretiens avec Isaiah Berlin,* 1991.
*Sous les ciels du monde, Entretiens avec Daryush Shayegan,* 1992.
*Entretiens avec George Steiner,* 1992.

**Chez d'autres éditeurs**

*Tolérance, j'écris ton nom,* collectif, édition Seurat-UNESCO, 1995.
*Penser la non-violence* (UNESCO), à paraître.
*Tagore,* Desclée de Brouwer, à paraître.

**Publications en anglais**

*The Relevance of Mahatma Gandhi,* C.S.H., Delhi, 1998.

**Publications en persan**

*Schopenhauer et la critique de la raison kantienne,* NASHR Ney, 1998.
*Clausewitz et la théorie de la guerre,* NASHR HERMÈS, 1998
*L'Iran et la Modernité,* IFRI/NASHR GOFTAR, 1998
*Les Modernes,* NASHR MARKAZ, 1998
*Critique de la raison moderne,* 2 volumes, NASHR FARZAN, 1997
*Modernité, démocratie et intellectuels,* NASHR MARKAZ, 1994
*Machiavel et la pensée de la Renaissance,* NASHR MARKAZ, 1993
*Hegel et la Révolution française,* Elmi & Farhangi, 1990

RAMIN JAHANBEGLOO

# GANDHI
## Aux sources de la non-violence

Thoreau - Ruskin - Tolstoï

EDITIONS
DU FELIN

Ouvrage édité sous la responsabilité
de Bernard Lefort

© Éditions du Félin, 1998
10, rue La Vacquerie, 75011 Paris
ISBN : 2-86645-327-1

## Remerciements

Je tiens à remercier tous ceux qui, à divers titres, m'ont aidé à réaliser ce travail. Je remercie en particulier Bernard Lefort, éditeur aux Éditions du Félin, à qui je suis reconnaissant de m'avoir donné la possibilité d'exposer de façon systématique la pensée de Gandhi. Par ailleurs, l'idée d'un tel ouvrage n'aurait pu prendre corps sans les amicales observations et suggestions du professeur Michel Hulin. De même, l'aide financière que m'a généreusement apportée le Centre national des lettres pour la rédaction de ce livre m'a été précieuse. Je remercie en particulier mon ami Marcel Marian. Je suis également reconnaissant à Bruno Dorin, le directeur du Centre des sciences humaines (New Delhi), de m'avoir aidé à mieux préparer ce projet.

Il est aussi de mon devoir de remercier les différents responsables de la Gandhi Peace Foundation (New Delhi), ainsi que Rajmohan Gandhi, le petit-fils du Mahatma, B. R. Nanda, Usha Mehta (la directrice du Mani Bhavan Bombay), Ramjee Singh, Jeetendra Desai (le directeur de Navajivan Publishing House), Mahendra Kumar (le directeur de la revue *Gandhi Marg*), Chandra Chari, Ravinder Kumar (l'ancien directeur de Nehru Memorial Trust), Sadiq Ali (le directeur de Gandhi Memorial Trust), P. V. Rajagopal (l'ancien secrétaire général de la Gandhi Peace Foundation), Krishnan Naîr, Devi Prasad, Ashis Nandy et Raj Rewal pour leurs remarques pertinentes et constructives. J'ai été enfin soutenu, tout au long de ce travail, par les lectures critiques de mes amis Paul Valadier, Jean-Yves Calvez et Henri Madelin, rédacteurs en chef successifs de la revue *Études*, qui m'ont aidé à préciser ce travail et la recherche plus vaste à l'intérieur de laquelle il s'inscrit.

R. J.

À Paul Ricœur

*If experience could teach mankind anything,*
*how different our morals and our polities would be,*
*how clear tolerant, how steady!*

<small>SANTAYANA</small>

# Avant-propos

Le message de Mohandas Karamchand Gandhi, né le 2 octobre 1869, et son action sur l'histoire moderne de l'Inde et du monde ont laissé une empreinte profonde et indélébile [1].

Parmi les grandes figures du XX$^e$ siècle, il fut, sans aucun doute, l'une des plus originales, mais aussi, en fait, peut-être l'une des plus mal comprises.

Considéré par les uns comme un « saint hindou » et par les autres comme un « politicien rusé », Gandhi n'a cessé depuis sa mort, en janvier 1948, d'attirer l'attention des historiens et des philosophes, tout en faisant l'objet d'un culte de la part de ceux qui le considèrent comme le dernier grand prophète de l'humanité.

Cependant, la vie et la pensée de Gandhi restent largement méconnues. Certes, le film de Richard Attenborough a évité la plupart des préjugés historiques à son sujet, mais il ne pouvait accorder une place importante aux idées de Gandhi, dans le contexte historique précis qui fut celui de leur élaboration. Par ailleurs, si l'on s'en tient aux quelques textes de Gandhi publiés en français, on ne peut avoir qu'une vue partielle et confuse de sa pensée. Ainsi l'œuvre de Gandhi reste-t-elle en grande partie inconnue des Français. Sur les cent volumes qui la constituent, à peine le dixième est traduit en français et la majeure partie des œuvres proposées est épuisée depuis de nombreuses années.

---

1. Voir page 165 *sqq.*, la notice biographique de Gandhi.

Or, ce qui fait la force et la qualité de Gandhi, c'est non seulement sa vie exemplaire, sa personnalité spirituelle, mais surtout l'héritage intellectuel laissé à travers ses écrits. Gandhi écrivait beaucoup et bien. Son style est simple et limpide, son ton franc et direct. C'est d'ailleurs grâce à cette clarté, cèrtainement, qu'il a pu devenir le véritable artisan de la libération du peuple indien auquel il a redonné fierté et dignité.

Mais ce qui caractérise la pensée de Gandhi, tout en expliquant sa démarche politique à l'égard des Britanniques et dans le conflit entre les hindous et les musulmans en Inde, c'est d'abord et par-dessus tout son idée de la non-violence. Le nom de Gandhi est lié depuis cinquante ans à l'histoire et au concept de non-violence. En cela, nous pouvons dire qu'il y a un avant et un après-Gandhi dans l'histoire de la non-violence. Il serait donc difficile de faire une étude sérieuse sur cette question sans faire référence à la pensée et à l'action de Gandhi. Pourtant, Gandhi lui-même n'a écrit aucun livre sur ce sujet. Bien que redondant, le thème de la non-violence ne paraît que dans ses discours, interviews et articles. Il n'existe aucune pensée systématique de la non-violence chez Gandhi. Il serait donc inexact, selon nous, de parler de Gandhi comme d'un « philosophe de la non-violence ».

Le projet de ce livre, qui n'est pas d'être une autre biographie – il en existe de nombreuses –, a pour but de présenter les principaux penseurs occidentaux qui ont participé à l'élaboration de sa pensée.

Gandhi ne fut jamais un philosophe au sens que nous donnons à ce terme en Occident. Il est néanmoins, pour les philosophes comme pour la conscience populaire, plus que cela : c'est un sage. Comme disait Indira Gandhi, l'ancien Premier ministre de l'Inde assassinée en octobre 1984 : « Gandhi est un homme qui représente le stade d'évolution le plus avancé auquel puisse prétendre un être humain. Imprégné des richesses du passé, il vécut totalement dans le présent, mais avec le souci de l'avenir. D'où la vertu intemporelle de ses idées [2]. » C'est cette intempora-

---

2. Indira Gandhi, *Ma vérité*, Stock, Paris, 1980, p. 97.

lité des idées de Gandhi qui nous permet de les réunir dans une argumentation philosophique sur la non-violence. Dès lors, toute recherche philosophique sur ce concept se présente comme une rencontre avec la pensée de Gandhi.

Si nous regardons de plus près la pensée de Gandhi, nous nous apercevons qu'elle est marquée par un grand esprit d'ouverture. En vérité, il n'y a de pensée pour Gandhi que sous une forme plurielle. Il croit ainsi à la diversité des idées, particulièrement dans le domaine des religions. De fait, selon lui, aussi longtemps qu'il y a diversité des religions, on ne peut prétendre qu'une religion est supérieure à une autre. « Dieu a créé différentes religions, écrit Gandhi, tout comme Il a créé leurs adeptes. Comment donc pourrais-je concevoir par-devers moi que la foi de mon voisin soit inférieure, et souhaiter qu'il se convertisse à ma religion ? Si je suis vraiment un ami loyal, je ne peux que prier pour lui souhaiter de vivre en parfait accord avec sa propre foi. Il y a plusieurs demeures dans le royaume de Dieu et elles sont toutes aussi saintes [3]. »

Pour Gandhi, toutes les religions sont vraies ; elles ne représentent que des chemins différents qui convergent vers le même point. Peu importe donc le chemin qui est emprunté, du moment qu'il nous mène vers Dieu ou la Vérité. Pour Gandhi, Dieu est la Vérité et la Vérité est Dieu. « Dieu est, affirme-t-il, parce que la Vérité est [4]. » Le but de l'homme est donc de chercher l'Esprit de Vérité. Mais par où faut-il que l'individu commence sa quête pour arriver à l'atteindre ? Aux yeux de Gandhi, la réponse est simple : ce n'est que par la voie de l'amour que nous pouvons accéder à la Vérité. Car Dieu est non seulement Vérité, mais il est aussi Amour. Il n'y a donc aucune expérience de Vérité, sans l'amour de la Vérité. Autrement dit, « pour voir, un jour, face à face, l'Esprit de Vérité qui pénètre l'univers tout entier, il faut arriver à aimer comme soi-même ce qu'il y a de plus insignifiant

---

3. M. K. Gandhi, *Tous les hommes sont frères,* Gallimard, Paris, 1990, p. 115.
4. *Ibid.*, p. 124.

dans la création et pour ce, il ne faut se soustraire à aucune des dimensions de la vie [5] ».

C'est pour et par l'amour de la Vérité que Gandhi a fait son entrée en politique. Pour lui la politique n'est pas une fin, mais un moyen comme d'autres pour expérimenter la Vérité. C'est pourquoi Gandhi a plutôt tendance, dans son *Autobiographie*, à sous-estimer ses expériences politiques, pour ne mettre en valeur que l'impulsion spirituelle qui est à leur origine. « Mes expériences dans le domaine politique, dit-il, sont à présent connues non seulement de l'Inde, mais, dans une certaine mesure aussi, du monde "civilisé". À mes yeux, elles n'ont pas une grande valeur. Et de ce fait, j'en accorde encore moins au titre qu'elles m'ont valu : celui de Mahatma. Souvent j'ai vivement regretté qu'on m'appelât ainsi, et je ne me souviens pas d'un seul instant où l'on peut dire que cela m'ait flatté. En revanche, c'est avec une joie certaine que je parlerai de mes expériences d'ordre spirituel. Je suis seul à les connaître et c'est d'elles que m'est venue l'énergie qui m'anime dans l'action politique. Il n'y a pas lieu de se glorifier de ces expériences dans la mesure où elles sont de nature vraiment spirituelle [6]. »

Il va sans dire que l'action politique de Gandhi a ses racines dans une expérience spirituelle. Chaque moment historique de cette action est marqué par la quête de la Vérité. C'est pourquoi la politique de Gandhi est inséparable d'un dynamisme spirituel. Ce dynamisme prend chez lui la forme d'une maîtrise de soi, qui se présente à travers de multiples pratiques personnelles comme le jeûne, l'abstinence sexuelle, le végétarisme, etc. Or, d'après Gandhi, posséder d'une manière parfaite le *brahmacharya*, c'est-à-dire le stade d'observation de certaines règles de vie et notamment le célibat, c'est remplacer toute forme de violence et de désir de possession par un amour pur. Gandhi définit l'amour

---

5. M. K. Gandhi, *Tous les hommes sont frères, op. cit.,* p. 113.
6. *Ibid.,* p. 23.

pur comme la non-violence sous sa forme active, c'est-à-dire comme la bienveillance envers toute forme de vie. La non-violence est donc, selon lui, l'absence totale de mauvaise volonté envers tout ce qui existe. « La non-violence parfaite, affirme-t-il, est l'absence totale de malveillance à l'encontre de tout ce qui vit [...]. Sous sa forme active, la non-violence s'exprime par la bien-veillance à l'égard de tout ce qui vit [7]. »

Ainsi, opter pour la non-violence, c'est renoncer au désir de violence qui habite en chaque homme. C'est la raison pour laquelle Gandhi utilise le mot d'*ahimsa* (formé du préfixe négatif *a* et du substantif *himsa*, qui signifie faire violence ou porter atteinte) en reprenant à son compte la philosophie générale de la *Bhagavad-Gîtâ*. L'*ahimsa* signifie « le non-désir de faire violence ». Bien qu'étant une notion centrale du jaïnisme, qui met en évidence la conception générale du renoncement et l'attitude à l'égard de la vie dans cette religion, l'*ahimsa* est associé à un véritable dessein sociopolitique. La force de Gandhi est donc bien là : donner un sens politique aux pratiques ascétiques des mouve-ments religieux comme le jaïnisme et le bouddhisme pour mener une action aux enjeux modernes.

Ainsi, dans sa lecture du concept de l'*ahimsa*, Gandhi dépasse les simples limites de l'ascétisme religieux en élaborant une vaste théorie de l'action juridico-politique. La non-violence n'est plus simplement le fruit de la charité et de l'humilité, mais une capa-cité positive de délégitimer la violence de l'autre. C'est cette réflexion sur le rapport à l'autre qui va conduire Gandhi à parler de la non-violence comme de la vertu de l'homme moralement fort. Pour lui, la non-violence est une attitude plus courageuse que la violence. « Je crois, déclare Gandhi, que là où il n'y a que le choix entre la lâcheté et la violence, je conseillerais la violence [...]. C'est pourquoi je préconise à ceux qui croient à la violence d'apprendre le maniement des armes. Je préférerais que l'Inde eût recours aux armes pour défendre son honneur plutôt que de la

---

7. Voir *Young India*, 1919-1922, S. Ganesan, Madras, 1924, p. 286.

voir, par lâcheté, devenir ou rester l'impuissant témoin de son propre déshonneur. Mais je crois que la non-violence est infiniment supérieure à la violence, que le pardon est plus humain que le châtiment [...]. La non-violence est la loi de l'espèce humaine comme la violence est celle de la brute. L'esprit est assoupi chez la brute et celle-ci ne connaît d'autre loi que la force physique. La dignité de l'homme réclame de lui l'obéissance à une loi supérieure – à la puissance de l'esprit [8]. »

L'obéissance à la non-violence, Gandhi le sait, entraîne la souffrance, mais il la considère comme le seul moyen de vaincre. Car il n'y a pas de revendication de la Vérité sans la souffrance volontaire. Un adepte de la non-violence doit donc s'infliger des souffrances à lui-même plutôt qu'à son adversaire. Cette souffrance n'est pas le fruit de la haine et de l'égoïsme, mais elle est au contraire inspirée par un esprit altruiste. En cela, il existe un rapport direct entre le degré de la souffrance du *satyagrahi* et le progrès du *satyagraha*. « Nul ne s'est jamais élevé, affirme Gandhi, sans avoir passé par le feu de la souffrance. » « Nul, ajoute-t-il, ne peut y échapper [...]. Le progrès ne consiste qu'à purifier la souffrance, en évitant de faire souffrir [...]. Plus pure est la souffrance, plus grand est le progrès [9]. »

La pensée gandhienne de la non-violence exige la discipline, l'abnégation, la souffrance altruiste, l'humilité, la responsabilité, le dévouement, mais surtout l'esprit d'indépendance. C'est d'ailleurs cette réflexion sur l'indépendance au plan individuel, mais aussi au plan « national », qui va conduire Gandhi à forger un concept essentiel dans sa pensée qui est celui de *swaraj*. Le *swaraj* traduit à la fois l'autonomie morale d'une personne au plan individuel, mais aussi la volonté d'une nation d'être maître de son propre destin. À l'opposé de certains nationalistes indiens, Gandhi ne cherche pas dans l'idée de *swaraj* la justification

8. M. K. Gandhi, *Collected Works*, vol. XVIII, Navajivan Trust, Ahmedâbâd, 1962, vol. XVIII, p. 132-133.
9. Cité dans Romain Rolland, *Mahatma Gandhi*, Stock, Paris, 1945, p. 55.

d'actions violentes contre le colonisateur. Riche de diverses influences indiennes, mais surtout occidentales, il mène une lecture très spécifique du *swaraj*. Pour lui, tout *swaraj*, ou indépendance, doit se définir dans la voie de l'*ahimsa*. La gestion du *swaraj* ne peut se fonder que sur une stratégie non violente. En affirmant cela, Gandhi pense non seulement à la lutte que doivent mener les Indiens contre l'Empire britannique, mais aussi et surtout à l'avenir démocratique de l'Inde. « La vraie démocratie, souligne-t-il, ou *swaraj* des masses, ne peut jamais s'obtenir par des moyens déloyaux et violents. La simple raison en est que l'emploi de tels moyens suppose nécessairement qu'on se débarrasse de toute opposition en liquidant les adversaires. Ce n'est pas sur de telles bases qu'on peut établir un régime de liberté individuelle. Celle-ci ne peut trouver son plein épanouissement que sous un régime où l'*ahimsa* règne à l'état pur [10]. »

Pour Gandhi, la non-violence va bien au-delà de la société indienne ; elle constitue une doctrine universelle, pour tous les hommes et pour tous les temps. Il est lui-même intimement convaincu que la non-violence est l'un des maîtres mots de l'histoire de son siècle, mais plus encore des siècles à venir. C'est en cela que ses idées sur la non-violence et la tolérance dépassent le seul cadre de l'histoire de l'Inde moderne, même si, d'une certaine manière, c'est de l'Inde et de son avenir qu'il s'agit à l'origine. Il n'empêche que Gandhi, très tôt, développa une conscience aiguë de ce qu'est la culture indienne, avec ses forces et ses faiblesses, tout en cherchant des points d'appui dans d'autres cultures pour l'élaboration théorique de son idée de la non-violence.

Par-delà les diverses influences indiennes, véhiculées notamment par la *Bhagavad-Gîtâ* et les *Upanishad*, Gandhi tenta de chercher le support philosophico-politique de son action non violente chez des penseurs occidentaux. Lecteur de la modernité occidentale, Gandhi se donne la possibilité de conduire la tradition indienne vers la non-violence.

---

10. M. K. Gandhi, *Tous les hommes sont frères, op. cit.*, p. 236.

Forgé en Afrique du Sud sous l'impulsion de la pensée occidentale (représentée par les trois figures de Thoreau, Ruskin et Tolstoï), le *satyagraha* devient une véritable stratégie politique durant le séjour de Gandhi en Inde. La rencontre avec les idées mères de ces trois penseurs occidentaux permet à Gandhi de modifier le contenu traditionnel de la non-violence indienne pour en faire un concept nouveau. Toute la méthode gandhienne se résume à cette tentative d'introduire un changement théorique et pratique fondamental dans les anciens modèles de la philosophie indienne par rapport aux nouvelles urgences de la société indienne. C'est ainsi que la désobéissance civile de Thoreau, la loi de l'amour tolstoïen et les pensées socio-économiques de Ruskin deviennent chez lui des outils appropriés de lutte, par le moyen desquels il arrive à gagner l'admiration même de ses adversaires. La dette intellectuelle de Gandhi envers Thoreau, Tolstoï et Ruskin est donc plus grande qu'on pouvait le croire. Nous pouvons dire que toute la vie de Gandhi fut, d'une certaine manière, consacrée à la promotion et à la réalisation des idées de ces trois maîtres à penser. À travers Gandhi et la victoire de la non-violence en Inde, certaines de leurs idées ont connu une postérité glorieuse.

Mais quelle a été la postérité de Gandhi lui-même ? Que reste-t-il actuellement de la pensée de Gandhi en Inde et dans le monde ? Nombreux sont ceux qui, tels Vinoba Bhave, Jayaprakesh Narayan, Martin Luther King et Abdul Ghaffar Khan, ont cherché depuis cinquante ans, dans la parole et l'action de Mahatma Gandhi, guide et soutien. En Inde, c'est Vinoba Bhave qui fut le véritable héritier spirituel de Gandhi. C'est lui qui a créé, en 1951, le mouvement *Boodhan* (« don de la terre ») et, plus tard, le mouvement *Gramdan* (« don du village »), en entreprenant une croisade non violente à travers les villages de l'Inde. En presque vingt ans, Vinoba Bhave et ses disciples ont réussi à transformer le quart des villages de l'État de Bihar en villages *gramdan* et à collecter 500 000 hectares de terre. En 1963, Vinoba Bhave a introduit le « Triple Programme du Sangh », à savoir le renoncement au droit de propriété individuel en faveur du village entier, les brigades de paix et le mouvement du « Khadi » (du nom de l'étoffe tissée à la main).

Dans les années soixante, une autre grande figure du mouvement gandhien, J. P. Narayan, fit son entrée sur la scène politique indienne. En 1974, il lança le slogan de la « Révolution totale » et créa un an plus tard le parti Janata, qui fut victorieux face à Indira Gandhi aux élections de 1977, après la période de l'« état d'urgence ».

Depuis la mort de J. P. Narayan en 1979, et de Vinoba Bhave en 1982, le mouvement gandhien est resté sans leader charismatique en Inde. Comme l'écrit à juste titre un chercheur du mouvement gandhien, Ishwar Harris : « Jadis considéré comme l'étoile susceptible d'orienter l'avenir de l'Inde [le mouvement Sarvodaya] s'est réduit au statut d'agence de travail social pour bénévoles [11]. » Toutefois, les héritiers de Gandhi continuent à travailler et à porter son message à travers ce pays et dans le monde entier. La Gandhi Peace Foundation fondée en 1956, qui s'est spécialisée dans l'enseignement de la paix et de la non-violence aux jeunes et au monde rural, continue à fonctionner comme un centre de recherche et d'intervention à partir des idées de Gandhi. Par ailleurs, de nombreuses associations, sous le nom de *Sevak Sangh* (« serviteurs du village »), mènent un travail bénévole de formation et de scolarisation dans les villages de l'Inde.

L'enseignement de Gandhi a connu aussi un rayonnement international en dehors des frontières indiennes. Parmi les grandes luttes que le message de Gandhi a inspirées, celle de Martin Luther King pour les droits des Noirs américains vient au premier rang. Du boycottage des transports à Montgomery en 1955 à la marche sur Washington en 1963, le pasteur noir américain a repris, dans toutes ses actions contestataires, les techniques de la non-violence chères au Mahatma. Martin Luther King a

---

11. I. C. Harris, « Sarvodaya in Crisis : The Gandhian Movement in India Today », in *Asian Survey*, vol. 27, 9, p. 1036-1052 ; cité par Thomas Weber, « Gandhi dans l'Inde d'aujourd'hui », *Non-violence Actualité*, n° 219, décembre 1997, p. VI.

souligné cette influence : « Si l'humanité doit progresser, alors Gandhi est pour elle incontournable[12]. »

Cette prémonition de Martin Luther King s'est vérifiée l'année même de sa mort, en 1968, dans la résistance non violente du peuple tchécoslovaque à l'invasion soviétique. Il devient dès lors impossible de parler du mouvement non violent dans le monde sans le relier au bouillonnement des mouvements intellectuels et sociaux divers qui ont agité, pour une période de dix ans, les pays de l'Europe de l'Est. Comme le disait, dans les années quatre-vingt, Lech Walesa, à l'époque où il présidait Solidarnosc, l'union de syndicats polonais dont les mouvements de grève ont abouti à la chute du régime totalitaire dans ce pays : « Nous ne pouvons nous opposer à la violence qu'en refusant d'en faire usage [...]. Nous n'avons pas d'autres armes que la vérité et la foi[13]. » L'option non violente est aussi celle qu'a adoptée, alors, le peuple philippin, en 1986, dans sa résistance civile à la dictature de Marcos. Depuis, d'autres formes de cette action, en Amérique latine, en Afrique du Sud et au Moyen-Orient, ont démontré l'actualité et la pertinence de l'héritage gandhien dans le combat pour la liberté et la justice.

Ainsi accomplie, bien qu'inachevée, l'action de Gandhi peut nous inciter à poursuivre, dans notre propre situation historique, son expérience de la non-violence, pour une voie d'avenir plus humaine. Le moment est venu de prendre conscience, avec Gandhi, que la violence est un suicide, et que le monde est fatigué de la haine. Le moment est venu d'affirmer que la violence n'est pas une manière de penser l'autre, ni de gérer politiquement une société, pas plus qu'elle n'est une manière de maîtriser les conflits entre les nations. « Si cet espoir est détruit, écrivait jadis Romain Rolland, il ne reste que la mêlée la plus sauvage[14]. »

Ramin JAHANBEGLOO

12. Cité dans *Tolérance, j'écris ton nom*, Éditions Saurat-Unesco, Paris, 1995, p. 219.
13. *Ibid.*
14. Cité dans *Cahiers Romain Rolland*, Albin Michel, Paris, 1969, n° 19, p. 326.

*Introduction*

# Les origines intellectuelles
# de la pensée gandhienne

Un demi-siècle après son assassinat, le 30 janvier 1948, à Birla House (Delhi), par Nathuram Vinayak Godsé, éditeur d'un hebdomadaire de Poona et fanatique hindou, Mohandas Karamchand Gandhi reste indéniablement l'une des figures politiques et morales les plus marquantes de l'histoire de l'humanité.

Homme d'une profondeur quasi insondable et personnage hors du commun, Gandhi était à la fois un grand sage et un grand politicien. On aurait pu penser que l'impulsion mystique chez Gandhi l'inciterait à prendre ses distances à l'égard de toute forme d'action publique. Certes non. À l'inverse de la plupart des sages indiens (tels Ramakrishna, Vivekananda ou Aurobindo) qui délaissaient la vie politique pour une vie contemplative, Gandhi a considéré la politique comme une dimension de la vie humaine à travers laquelle on doit s'efforcer d'atteindre ce qu'il appelait l'« esprit de la vérité ». « C'est mon dévouement à la vérité, écrit-il, qui m'a entraîné dans le champ de la politique ; et je peux dire sans la moindre hésitation, mais aussi en toute humilité, que ceux-là n'entendent rien à la religion qui prétendent qu'elle n'a rien de commun avec la politique [1]. » En ce sens, la politique est pour Gandhi une sorte de réalisation de la morale religieuse ou, plus précisément, le domaine où les hommes entreprennent ensemble la recherche de la vérité. Le langage de la politique chez Gandhi n'a pas pour objet de

---

1. M. K. Gandhi, *Autobiographie,* PUF, Paris, 1950, p. 645.

faire valoir certains intérêts particuliers sur d'autres par le recours à la coercition. On ne peut donc réduire le concept gandhien de la politique à un simple rapport au pouvoir. « Pour moi, écrit Gandhi, le pouvoir politique n'est pas une fin, mais l'un des moyens de permettre aux hommes d'améliorer leurs conditions de vie sur tous les plans. Le pouvoir politique est ce qui permet de diriger les affaires du pays par l'intermédiaire des délégués de la nation. Si les rouages de la vie nationale atteignaient ce degré de perfection qui leur permettrait de fonctionner automatiquement, il ne serait plus nécessaire d'avoir des délégués. Ce serait alors un État d'anarchie éclairée. Dans un tel pays, chacun serait son propre maître. Il se dirigerait lui-même, de façon à ne jamais gêner son voisin. Par conséquent, l'État idéal est celui où il n'y a aucun pouvoir politique en raison même de la disparition de l'État [...] [2] »

La vision gandhienne de la politique se présente donc comme une nouvelle attitude dans la pensée politique de l'Inde moderne. Bien qu'il soit resté attaché à certaines idées des grands leaders du nationalisme indien – tels Gopal Krishna Gokhale [3], qu'il considérait comme son gourou politique, Tilak Bâl Gangadhar (1856-1920) et Dadabhai Naoroji [4] qu'il surnommait « The Grand Old Man of

---

2. M. K. Gandhi, *Tous les hommes sont frères,* Gallimard, collection « Idées », Paris, 1969, p. 238.
3. Gopal Krishna Gokhale (1886-1915) est né à Ratnagiri, dans une famille de brahmanes. Il fut un temps professeur d'anglais et de mathématiques. Il se consacre à l'action politique à partir de 1902. Élu en 1905 président de la municipalité de Poona, il fonde en 1906 la *Servants of India Society* qui a pour but de juxtaposer la modernité occidentale et la civilisation indienne. Il est surtout connu pour ses options libérales dans le parti du Congrès.
4. Tilak Bâl Gangadhar (1856-1920), écrivain et homme politique est né à Ratnagiri dans une famille de brahmanes d'expression marâthi. Il s'oppose au gouvernement britannique à travers ses nombreux écrits ; il est condamné à dix-huit mois de prison en 1897. Il édite deux journaux : *Marâtha,* en anglais et *Kesari,* en marâthi, où il expose ses points de vues nationalistes et conservateurs. En 1908, il est exilé en Birmanie. De retour en Inde, en 1914, il fonde en 1920 le Parti démocratique du Congrès. Surnommé « Lokamanya » (honoré par le peuple), il meurt le 1er août 1920 à Bombay. Il est notamment connu pour ses commentaires de la *Bhagavad-Gîtâ.*

India » –, Gandhi s'est séparé d'eux à la fois par son action et par son analyse de la société indienne. On peut dire que lorsqu'il parle de « spiritualisation de la politique », il demeure un adepte de Gokhale, mais quand il pratique la résistance passive et la non-coopération, il dépasse nettement le stade du constitutionnalisme libéral de son maître. De même, face à Tilak qui a eu recours à une politique violente à l'encontre de l'occupant britannique, Gandhi se présente comme le porte-parole de la non-violence. La théorie politique dont il se réclame est profondément intégrée à l'inébranlable conviction qu'il a acquise à travers son expérience personnelle. Elle ne peut être confondue avec aucune tradition extérieure à cette expérience.

L'arrivée de Gandhi sur la scène politique de l'Inde marque ainsi un tournant extraordinaire dans l'histoire moderne de ce pays. Par sa foi inébranlable en l'*ahimsa* (non-violence) et par le style de ses actions en faveur des planteurs d'indigo de Champaran, exploités par les propriétaires terriens et les industriels européens, ou des ouvriers du textile d'Ahmedâbâd qui demandaient des augmentations de salaire, Gandhi ouvrit une perspective nouvelle au sein d'une situation marquée par la violence de révoltes sporadiques. Son enracinement dans la vieille culture hindoue et sa connaissance de l'Occident moderne lui permirent d'être à la fois un symbole pour l'ensemble du mouvement nationaliste indien et un interlocuteur difficile mais respecté pour le gouvernement britannique. Gandhi inaugurait ainsi une alliance entre le traditionalisme des masses et l'occidentalisme des élites, qui s'était révélée jusque-là impossible en Inde.

C'est grâce à son effort et à son génie politique que les différentes tendances du Parti du Congrès purent se rassembler autour de son projet d'indépendance complète de l'Inde. Sous sa direction, des hommes tels que Jawaharlal Nehru (1889-1964), Vallabhbhai Patel (1875-1950) et Abdul Kalam Azad (1888-1958) parcoururent l'Inde pour propager le mot d'ordre de la lutte non-violente pour l'indépendance, tel un nouvel évangile. « Gandhi introduisit cette forte discipline dans notre lutte, affirme Nehru, et nous sommes devenus par là une immense organisation. Une organisation non seulement disciplinée, mais encore unie par des liens plus forts et plus étroits, presque une grande famille. Unis par la personnalité de Gandhi, nous avions des opinions très différentes, mais nous étions unanimes dans la lutte contre les Britanniques. C'est ce lien qui nous unissait, nous rendait tolérants les uns à l'égard des autres, et nous faisait respecter même ceux avec qui nous n'étions pas d'accord [5]. »

L'attitude tolérante décrite par Nehru est une manifestation du ressort moral exceptionnel donné par la personnalité de Gandhi au mouvement nationaliste indien. La tolérance, chez lui, était plus qu'un simple respect de l'opinion d'autrui. « Chacun, dit Gandhi, a raison de son propre point de vue, mais il n'est pas impossible que tous aient tort : d'où la nécessité de la tolérance. Celle-ci n'est pas de l'indifférence à sa propre foi, mais un amour plus pur et plus intelligent de cette foi. La tolérance donne un pouvoir de pénétration spirituelle aussi éloigné du fanatisme que le pôle Nord l'est du pôle Sud [6]. »

Gandhi ne revendique donc pas le simple respect de la différence, mais le devoir de rester attaché à la Vérité par la loi de l'amour : « Tout droit qui n'entraîne pas un devoir ne mérite pas qu'on lutte pour le défendre [7]. » Son idée de la tolérance est une foi dans le feu de l'amour qui correspond à la dignité de l'homme et lui permet d'acquérir une plus grande maîtrise de soi : « L'amour est la force la plus puissante que possède le monde, et pourtant elle est la plus humble qui se puisse imaginer [8]. » La loi de l'amour est pour lui la loi de l'Homme qui triomphe de la haine et de la force brute. Loin de signifier une faiblesse de caractère ou la peur du danger, l'amour est la résistance morale la plus forte qui puisse exister face au mal venu de l'adversaire. Elle est l'arme

5. Tibor Mende, *Conversations avec Nehru,* Seuil, Paris, 1956, p. 51.
6. M. K. Gandhi, *Lettres à l'ashram,* Albin Michel, Paris, 1971, p. 85-86.
7. Cité dans *Pour connaître la pensée de Gandhi,* par Camille Drevet, Bordas, Paris, 1946, p. 64.
8. M. K. Gandhi, *Lettres à l'ashram, op. cit.,* p. 134.

qui permet au non-violent de lutter à la fois contre son instinct de domination et contre les obstacles extérieurs.

Gandhi s'engagea solennellement, devant Dieu et ses compatriotes, à résister au racisme du gouvernement sud-africain par cette nouvelle forme d'action. « Une seule voie m'est ouverte, déclara-t-il devant une assemblée à Johannesburg : mourir plutôt que de me soumettre. Il est peu probable qu'on en arrive là, mais même si tous cédaient autour de moi, j'ai la conviction que je ne violerai pas mon serment[9]. » Il remplaça le mot sanscrit *sadagraha* (« fermeté dans la conduite droite ») par *satyagraha* (« fermeté dans la vérité ») et il élabora une méthode de résistance non violente aux lois injustes. Il réussit ainsi à transformer la colère et la fureur des masses indiennes face à l'oppresseur britannique en un large mouvement discipliné de non-coopération et de non-violence.

Tout au long de sa vie, Gandhi poursuivit un combat spirituel et politique intense au moyen d'une réflexion ininterrompue sur la nature de l'*ahimsa*. C'est pourquoi, dit-il : « Je n'ai pas de plus grand amour que la non-violence [...]. Sans interruption, pendant plus de cinquante ans, j'ai cherché à mettre en pratique la non-violence et toutes ses ressources, avec une précision scientifique. Je m'y suis employé dans tous les domaines : vie privée et publique, économie politique [...]. Je ne connais aucun cas qui se soit soldé par un échec. Ou, quand j'ai cru avoir échoué, j'ai pu en attribuer la cause à mes propres limites. Je ne prétends pas être parfait, mais rechercher la vérité avec passion. C'est au cours de cette recherche qu'il m'est arrivé de faire la découverte de la non-violence. En répandre les bienfaits est devenu la mission de ma vie. Je n'ai plus d'autre intérêt dans l'existence que de mener à bien cette entreprise [10]. »

Toujours fidèle à ce principe, Gandhi s'efforce, dès son retour en Inde, de faire disparaître l'« intouchabilité », qu'il

---

9. M. K. Gandhi, *Satyagraha in South Africa,* cité dans *Gandhi,* de B. R. Nanda, Marabout Université, Paris, 1968, p. 66.
10. M. K. Gandhi, *Tous les hommes sont frères, op. cit.,* p. 170-171.

considère comme « un problème encore plus important que celui de l'indépendance [11] ». Car, dit-il, « nous avons tenu les parias à l'écart, et maintenant nous sommes devenus nous-mêmes parias dans les colonies anglaises. Nous refusons aux parias de se servir de nos puits, nous leur jetons nos restes, leur ombre même semble nous polluer. En vérité, il n'est pas d'accusation que nous lançons à la figure des Anglais que les parias ne pourraient nous lancer également [12] ».

Pour combattre l'« intouchabilité », Gandhi présente au Parti du Congrès, dès 1919, un programme de réformes sociales. Il vit lui-même avec les Intouchables et partage avec eux les travaux de nettoyage qui leur sont réservés. Il donne à son journal le nom de *Harijan* (« Peuple de Dieu »), nom qu'il donne aussi aux Intouchables. Il entreprend plusieurs fois des jeûnes pour leur obtenir l'entrée dans les temples. Si l'intouchabilité, affirme-t-il, faisait partie de la doctrine de l'hindouisme, je refuserais de me considérer comme hindou et je me rattacherais à une autre religion, s'il en était une qui puisse répondre à mes aspirations les plus hautes [...]. En fait, si je découvrais un jour que l'intouchabilité fait partie intégrante de l'hindouisme, je devrais plutôt errer dans le désert, parce que les autres religions telles que je les connais à travers leurs interprètes reconnus ne satisferaient pas mes aspirations les plus hautes [13]. »

Mais, contrairement à ce qu'on peut penser, le refus de l'« intouchabilité » chez Gandhi ne va pas de pair avec le rejet du système des castes. Gandhi accepte le principe de *Varnashrama* (la structure sociale reposant sur quatre grandes divisions : *brahmanes, kshatriyas, vaishyas, shûdras,* et les quatre stades de la vie ; *brahmacharya, gârhastya, vânaprashta* et *sannyâsa*), qu'il considère comme une loi divine, sans pour autant approuver la

---

11. Lettre du 29 décembre 1921 de Gandhi à Charles Andrews, cité dans *Gandhi Marg,* juillet 1965, p. 23.
12. M. K. Gandhi, *La Jeune Inde,* Stock, Paris, 1925, p. 161.
13. Cité dans *Ce que Gandhi a vraiment dit,* de Jean Herbert, Marabout Université, Paris, 1974, p. 108.

forme qu'elle a prise. « Je crois au système de castes, écrit-il, mais pas selon la conception grossière qu'on en a aujourd'hui dans le peuple [...] la caste est une institution créée par les hommes qui n'est bonne qu'à être détruite, mais *varna* est une loi divine [...]. Dans la vraie conception de *varna*, il n'y a aucun concept d'infériorité ou de supériorité [14]. » Gandhi fait donc une distinction entre la religion hindoue et son idée fondamentale qui est le concept de *dharma* (qui renvoie à l'idée d'une harmonie de l'univers, à une régularité et à une harmonie qu'il importe de préserver) et la caste (en tant qu'une subdivision inégalitaire plus tardive). On constate donc jusqu'à quel point la pensée et l'action de Gandhi sont inspirées par la philosophie hindoue. Comme les autres sages de l'Inde, il reste attaché aux rites et principes essentiels de l'hindouisme. Sa foi dans les écritures sacrées de l'hindouisme est si forte qu'il ne cessera de les méditer, afin d'en tirer des leçons pour son action. « Il m'est aussi impossible, écrit-il dans *La Jeune Inde,* de décrire mes sentiments pour la religion hindoue que mes sentiments pour ma femme. Elle m'émeut plus que toute autre femme. Non qu'elle soit sans défaut ; il est même probable qu'elle en a beaucoup plus que je ne lui en vois. Mais je sens qu'il existe entre nous un lien indissoluble. Mon sentiment pour l'hindouisme malgré ses défauts et ce qui lui manque est de même. Rien ne me transporte autant que la musique de la *Gîtâ* ou du *Ramayana de Tulcidas,* les deux livres de la religion hindoue que je connaisse vraiment [...]. J'y trouve un intérêt que je ne trouve pas ailleurs [15]. » Pourtant, Gandhi n'a jamais pu admettre qu'un livre, si sacré soit-il, soit utilisé pour justifier une pratique sociale inhumaine et injuste. C'est la raison pour laquelle il s'est toujours révolté contre le fait de considérer la femme comme l'objet de convoitise de l'homme. « C'est une calomnie, dit-il, de parler de sexe faible à propos d'une femme. L'homme est le responsable de cette injustice. Si, par force, on entend brutalité,

---

14. *Ibid.,* p. 102, 105.
15. M. K. Gandhi, *La Jeune Inde, op. cit.,* p. 186.

alors, oui, la femme est moins brutale que l'homme. Mais si la force est synonyme de courage moral, alors la femme est infiniment supérieure à l'homme. N'a-t-elle pas beaucoup plus d'intuition, d'abnégation, d'endurance et de courage ? Sans elle, l'homme ne pourrait pas être. Si la non-violence est la loi de notre être, le futur appartient à la femme [...] [16] » De la même manière, Gandhi se déclare proche des autres religions et n'hésite pas à dire qu'il trouve son Dieu d'amour et de vérité à travers la lecture de leurs textes sacrés. Il se dit en lutte ouverte contre tout esprit dogmatique qui accepte aveuglément, et sans référence à la raison et à la conscience, les préceptes d'une tradition religieuse. C'est pourquoi, dit-il, « je ne crois pas à la divinité exclusive des Veda. Je crois que la Bible, le Coran, le Zend-Avesta sont aussi divinement inspirés que les Veda... », et il ajoute : « Je ne ferais pas un fétiche de la religion, et je n'excuse pas n'importe quel mal, en son nom sacré [17]... »

En vérité, l'attitude de Gandhi en ce domaine relève strictement de son évolution spirituelle. On ne peut ignorer, et c'est l'objet de cet ouvrage, qu'il a été profondément marqué par d'autres sources intellectuelles et notamment par quelques grands écrivains et philosophes de son époque. Parmi ceux-là, Léon Tolstoï occupe sans aucun doute la première place. La correspondance des deux hommes en porte témoignage. Après une lecture très attentive des écrits de l'écrivain russe, Gandhi décide de lui envoyer une première lettre datée du 1er octobre 1909. À partir de cette date, Gandhi et Tolstoï engagent un dialogue permanent jusqu'à la mort de ce dernier, en 1910, autour des deux grands problèmes de l'amour et de la non-violence. Les enseignements des Évangiles et de la *Bhagavad-Gîtâ* prennent alors la plénitude de leur sens aux yeux de Gandhi à la lumière de la sagesse tolstoïenne.

Tolstoï est plus qu'une simple étape dans la maturation intellectuelle de Gandhi. Il est celui qui a le plus influencé la pensée de

16. M. K. Gandhi, *Tous les hommes sont frères, op. cit.,* p. 272.
17. Cité dans *Gandhi* de Romain Rolland, Stock, Paris, 1948, p. 33, 34.

Gandhi. C'est en ce sens qu'il faut interpréter le discours de Gandhi à Lausanne, en 1932, quand il affirme : « Tolstoï a été l'un de mes grands maîtres. Il a renforcé ma foi en ce que je ne connaissais encore qu'obscurément. Ma propre expérience en Afrique du Sud m'a montré la différence entre non-résistance et non-violence. J'ai travaillé sur les fondations posées par Tolstoï comme un bon élève, j'ai ajouté ce qui m'avait été légué [18]. »

Certes, durant toute sa vie, Gandhi s'est réclamé volontiers de la postérité spirituelle de Tolstoï, mais son attachement aux idées du grand écrivain russe ne l'a pas empêché de se nourrir de la pensée d'autres de ses contemporains. Ainsi a-t-il été également influencé par l'écrivain anglais John Ruskin et par l'auteur américain Henry David Thoreau.

Si *Le Royaume de Dieu est en vous* de Tolstoï avait permis à Gandhi de vivifier sa passion pour le Christ et de raffermir sa foi en la non-violence, de même *Unto this Last* de Ruskin lui offrit une nouvelle vision pratique de la vie en communauté. L'accent mis par Ruskin sur l'idée de l'épanouissement de l'homme dans une vie simple, où le travail aurait pour but d'apporter le bonheur, devait permettre à Gandhi de développer plus tard l'idée que le bien de l'individu et celui de la société ne sont en aucune manière contradictoires. Ainsi, pour Gandhi, l'axe central de toute vie communautaire est fondé sur la solidarité qui existe entre les individus, qui doivent consacrer toute leur énergie à assurer le bien public sans oublier de défendre leur autonomie individuelle. Il y a donc un lien étroit entre l'idéal gandhien de la justice sociale et la politique de la non-violence. « L'égalité économique, écrit Gandhi, est la clef de voûte de l'indépendance non violente [...] un gouvernement non violent est absolument impossible aussi longtemps que subsiste l'abîme qui sépare les riches des autres millions d'affamés [19]. » L'insistance avec laquelle Gandhi a mené sa lutte pour une égale répartition des richesses en Inde a poussé

---

18. Cité dans *Ce que Gandhi a vraiment dit, op. cit.*, p. 73.
19. M. K. Gandhi, *Tous les hommes sont frères, op. cit.*, p. 224-225.

un grand nombre de ses interprètes à parler de lui comme d'un socialiste. Or, Gandhi s'est défendu toute sa vie d'être considéré comme un communiste ou un socialiste. Car, d'après lui, « les socialistes et les communistes croient que, pour arriver à l'égalité économique, il est nécessaire de créer ou de renforcer les antagonismes et la haine, et ils attendent un changement d'État pour appliquer leurs théories [20] ». De même, dans une discussion rapportée par Pyarelâl dans le journal *Harijan* du 31 mars 1946, sur les différences entre sa technique de lutte et celle des socialistes ou des communistes pour parvenir à l'égalité économique, Gandhi affirme : « Les socialistes et les communistes disent qu'à l'heure qu'il est ils ne peuvent encore rien faire pour rétablir l'égalité économique. Ils se contentent de faire de la propagande en sa faveur en créant et en cultivant des sentiments de haine. Ils disent que lorsqu'ils auront le contrôle de l'État ils établiront de force l'égalité. Au contraire, selon mon plan, l'État sera le serviteur de la volonté du peuple, et non un dictateur qui lui impose sa volonté. Je ferai l'égalité par la non-violence, en convertissant le peuple à ma manière de voir, en remplaçant les forces de la haine par celles de l'amour. Je n'attendrai pas d'avoir converti la société tout entière, mais je commencerai immédiatement l'application sur moi-même [...] [21] » Par ailleurs, récusant l'idée d'une transformation violente de la société, Gandhi prend naturellement ses distances à l'égard du concept de « lutte des classes ». « L'idée d'une lutte des classes, déclare-t-il, ne me dit rien qui vaille. En Inde, une guerre des classes non seulement n'a rien d'inéluctable, mais peut fort bien être évitée, si nous avons compris le message de la non-violence. Ceux qui font de la lutte des classes une issue inévitable n'ont rien compris à tout ce qu'implique la non-violence ou ne l'ont saisi que bien superficiellement [22]. » On ne

---

20. Cité dans *Pour connaître la pensée de Gandhi, op. cit.,* p. 160.
21. Cité dans *Gandhi et Marx,* par Krishorlâl Mashrouwala, Denoël, Paris, 1957, p. 199.
22. M. K. Gandhi, *Tous les hommes sont frères, op. cit,* p. 233.

peut donc dire de la pensée de Gandhi qu'elle est « un communisme moins la violence » ou « un communisme plus Dieu », car la philosophie gandhienne et le communisme s'opposent à la fois par les moyens et les fins. Ainsi, fidèle à son amour de la vérité et de la justice, Gandhi rejette tout dogmatisme philosophique et politique qui refuse le sens de la réalité. C'est pourquoi son action sociale et politique s'inscrit au centre de la réalité indienne. Se rappelant des propos de Ruskin sur la vie harmonieuse de la communauté, Gandhi cherche à réconcilier les deux forces du travail et du capital. « Chacune de ces deux forces, écrit-il, peut s'employer à des fins créatrices ou destructrices. Chacune est tributaire de l'autre. Aussitôt que le travailleur prend conscience de sa force, il se trouve en position de devenir le coassocié du capitaliste au lieu de rester son esclave. Si, en revanche, le travailleur cherche à s'emparer de tout, il y a de fortes chances pour qu'il tue alors la poule aux œufs d'or [...] [23] », et il ajoute : « Toute exploitation suppose à la base une coopération bénévole ou forcée, de la part de ceux qui sont exploités [...]. Il faut mettre un terme à cette situation, et ce, non pas en essayant d'exterminer propriétaires et capitalistes, mais en transformant les relations qui existent entre eux et le peuple pour les rendre plus saines et plus pures [24]. » C'est ici qu'entre en jeu l'idée de la non-coopération et de la désobéissance civile chez Gandhi et l'influence de Henry David Thoreau.

La non-coopération est, d'après Gandhi, le meilleur moyen pour les travailleurs de riposter à ceux qui violent leurs droits. Bien plus, la non-coopération non violente est en vérité l'arme principale de la politique gandhienne. Cette arme a été utilisée pour la première fois par Gandhi vers 1906 en Afrique du Sud pour protester contre un amendement de la loi sur l'immigration. À la suite de la victoire de son action en Afrique du Sud, et après son retour en Inde, Gandhi s'est donné pour tâche d'élaborer un programme de non-coopération sous forme de journées de protestations non-violentes, de

---

23. M. K. Gandhi, *Tous les hommes sont frères, op. cit.*, p. 232.
24. *Ibid.*, p. 233.

jeûnes et de prières. Ainsi, en peu d'années, il a réussi à lancer un vaste mouvement de désobéissance civile autour des deux grands symboles du rouet et du *khadi* (textile indigène), qui avait pour but de mettre en faillite les institutions coloniales et de boycotter les produits occidentaux. Pour Gandhi, le rouet est le symbole à la fois de l'unité indienne et celui de la conquête de la liberté face à la domination étrangère. D'ailleurs, en s'habillant lui-même d'un simple *khadi* et en consacrant chaque jour une partie de son temps à filer au rouet, il donne l'exemple de sa non-coopération avec l'occupant britannique.

Arrêté dans la soirée du 10 mars 1922 à son ashram de Sabarmati pour avoir écrit des articles séditieux dans son hebdomadaire *La Jeune Inde (Young India),* Gandhi accepte sa peine à l'issue de son procès en défendant son idée de non-coopération. « À mon humble avis, dit-il, la non-coopération avec le mal est un devoir tout autant que la coopération avec le bien. Seulement, autrefois, la non-coopération consistait délibérément à user de violence envers celui qui faisait le mal. J'ai voulu montrer à mes compatriotes que la non-coopération ne faisait qu'augmenter le mal, que le mal ne se maintient que par la violence, et qu'il fallait, si nous ne voulions pas encourager le mal, nous abstenir de toute violence [...] [25] » Pour Gandhi, la non-coopération est donc plus qu'un acte civil, puisqu'il la considère comme un appel de conscience. Chaque non-coopérateur ou résistant est guidé par sa propre conscience. Toutefois Gandhi distingue la résistance civile individuelle de la résistance civile des masses. « Dans le premier cas, dit-il, chacun est une unité complètement indépendante et sa chute n'affecte pas les autres ; tandis que, dans la résistance civile des masses, la chute d'un seul affecte péniblement le reste. Dans la résistance civile des masses, un chef est essentiel, tandis que, dans la résistance civile individuelle, chacun est son propre chef. Et encore, dans la résistance civile des masses, il y a possibilité d'échec ;

_____

25. M. K. Gandhi, *La Jeune Inde, op. cit,* p. 373.

dans la résistance civile individuelle, c'est une impossibilité. Enfin, un État peut tenir tête à la résistance civile des masses, mais nul État ne s'est encore trouvé capable de tenir tête à la résistance civile individuelle [26]. » C'est dans cet esprit qu'il faut analyser les trois grands mouvements de non-coopération dirigés par Gandhi (la campagne de 1921 contre les massacres du Penjab, la célèbre Marche du sel de 1930, et le mouvement de *Quit India* lancé en août 1942).

S'inspirant directement de la tradition hindoue, mais surtout de Henry David Thoreau – l'auteur de *On the Duty of Civil Disobedience (La Désobéissance civile)* – qui revendique le droit de l'individu à l'autarcie en refusant l'obéissance à l'État, la pensée de Gandhi se trouve à mi chemin de deux visions du monde qui invoquent le respect des droits de l'individu contre l'injustice du pouvoir politique. L'influence de Thoreau sur Gandhi n'est pas du même ordre que celles de Tolstoï et de Ruskin. En vérité, Thoreau et Gandhi défendent tous les deux la voix de la conscience individuelle face aux lois autoritaires de l'État. Mais pour Gandhi, encore une fois, l'objectif à atteindre, c'est la Vérité, et le moyen de l'atteindre est la non-violence. Ainsi, même si Gandhi semble être proche de Thoreau quand il parle de la désobéissance civile en termes de « devoir » et de l'« éducation » du citoyen, en revanche, il se sépare de lui au sujet d'un quelconque recours à la violence. Le combat gandhien contre l'injustice ne fait donc jamais appel à la force physique. Tout acte de résistance apparaît ainsi chez Gandhi comme une action constructive. Pour Gandhi, la désobéissance civile n'est alors « civile » que si elle est « spirituelle », ce qui peut paraître paradoxal à beaucoup d'égards. Mais quand Gandhi déclare que « la désobéissance, pour être civile, doit être sincère, respectueuse, mesurée, exempt de méfiance [...] ne jamais être soumise au caprice et surtout ne jamais être dictée par la rancune

---

26. *Nouvelles de l'Inde,* août-septembre 1933, cité dans *Gandhi,* par Camille Drevet, PUF, Paris, 1967, p. 107-108.

ou la haine [27] », il est en parfaite harmonie avec les articles de sa foi. Car, pour désobéir au pouvoir, il ne suffit pas d'avoir le courage de l'affronter, mais aussi d'oser se libérer de son charme secret en écoutant la voix de la conscience qui nous ramène à notre humanité. Autrement dit, pour Gandhi, sans la recherche de ce qu'il y a de plus noble en l'humanité, il ne peut y avoir de non-violence et de quête de la vérité. Il n'y a donc, selon lui, vérité de la non-violence, que parce que la non-violence existe en la vérité. « L'*ahimsa,* dit-il, est mon Dieu, comme la vérité est mon Dieu. Quand je cherche l'*ahimsa,* la vérité me dit : "Cherchez-la à travers moi." Quand je cherche la vérité, l'*ahimsa* me dit : "Cherchez-la à travers moi [28]." »

Le champ de la pratique gandhienne est donc celui de la non-violence religieuse. Pourtant, chez Gandhi, la loi du *satyagraha* n'a pas besoin d'une sanction divine pour être une obligation pour les hommes. Le Dieu de Gandhi n'est pas celui devant qui l'on tombe à genoux plein de crainte, ni celui à partir de qui on élabore tout un système rationnel. Pour Gandhi, « la vérité réside dans le cœur de tout homme. C'est là qu'il faut la chercher […] nous n'avons pas le droit de contraindre les autres à agir selon notre propre manière de voir la vérité [29] ». Dans cette perspective, la résistance non violente n'a pas pour but de contraindre l'adversaire, mais de le convertir, et cette conversion ne peut être obtenue que par la souffrance de celui qui, par son refus de coopérer avec l'injustice, défie ouvertement la loi injuste. Par ailleurs, la non-violence n'est pas seulement un moyen de contestation et de désobéissance, elle devrait aussi inspirer la gestion démocratique de la société. Libérer les Indiens, c'était, pour Gandhi, leur permettre d'assumer eux-mêmes leur propre destin, de telle sorte qu'ils puissent se préserver du joug de toute espèce de dictature. Autrement dit, la stratégie de l'action

27. M. K. Gandhi, *Tous les hommes sont frères, op. cit.,* p. 174.
28. *Young India* de juin 1925, cité dans *The Message of Mahatma Gandhi,* par U.S Moban Rao (éd.), New Delhi, 1968, p. 9.
29. M. K. Gandhi, *Tous les hommes sont frères, op. cit.,* p. 133.

non violente ne vise pas la prise du pouvoir en Inde, mais l'exercice du pouvoir par le peuple indien.

C'est à ce titre que Gandhi refuse de participer au pouvoir après l'indépendance de l'Inde. Cependant, devant l'ampleur tragique des affrontements entre hindous et musulmans, il décide d'observer un jeûne illimité en septembre 1947. Son jeûne plonge l'Inde entière dans l'attente et la prière. Finalement, les représentants des deux communautés se dirigent vers la maison de Gandhi pour s'engager à appliquer la paix. C'est une nouvelle victoire pour Gandhi et sa doctrine de la non-violence. Mais Gandhi est considéré comme un traître par des groupements hindous extrémistes. Un premier attentat organisé contre sa vie échoue le 20 janvier 1948. Dix jours plus tard, le 30 janvier 1948, Gandhi tombe sous les balles de Godsé.

Depuis Socrate et Jésus-Christ, la non-violence n'avait sans doute pas eu un défenseur plus remarquable que Gandhi. Il est un de ceux – comme il n'y en eut que quelques-uns dans l'histoire – qui ont le plus puissamment contribué à nous débarrasser du poids que fait peser la violence. C'est dire que son enseignement reste valable pour notre monde, qui est confronté à l'universalité de la violence. La non-violence gandhienne garde aujourd'hui toute sa force matricielle pour rompre avec les traditions de pensée, impuissantes à dépasser l'opposition entre l'éthique et la politique. Or l'éthique et la politique ne prennent leur véritable dimension que par rapport à l'homme. La non-violence constitue donc un défi perpétuel aux horreurs qui règnent en chaque homme. L'homme doit ainsi utiliser la non-violence pour mieux accomplir sa tâche de civilisation. Gandhi a accompli la sienne, tout en sacrifiant sa vie. D'autres ont accompli cette tâche autrement, mais ils étaient tous à l'origine de la pensée de la non-violence chez Gandhi. Sans leurs théories, la pensée de la non-violence n'aurait jamais pu voir le jour. Toutefois, l'originalité de la pensée de Gandhi tient à ce qu'il a su faire la synthèse entre ces différentes influences, occidentales et orientales, qu'il a rencontrées.

Le présent ouvrage est consacré aux origines occidentales de la pensée politique de Gandhi. Afin de rendre compte de ces influences occidentales, nous nous sommes donné trois axes d'étude : la pensée de la désobéissance civile chez Henry David Thoreau et son impact sur la pensée de la non-coopération, et l'idée du *Satyagraha* chez Gandhi ; la pensée socio-économique de John Ruskin et la philosophie du *Sarvodaya*, et, enfin, la sagesse religieuse de Tolstoï et sa place dans la quête gandhienne de la vérité et de la non-violence. Chaque partie est divisée en trois chapitres. Le premier chapitre traitera, à chaque fois, de la lecture gandhienne de l'auteur en question. Le deuxième chapitre en définira la pensée. Le troisième chapitre s'intéressera aux idées développées par Gandhi dans le cadre de sa propre philosophie.

*Première partie*

# Henry David Thoreau

« Le Mahatma Gandhi a fait de l'*Ahimsa* la forme la plus élevée du courage, un constant défi à l'insolence de la force. »

TAGORE

## Chapitre I

# Gandhi lecteur de Thoreau

C'est dans la bibliothèque d'une prison d'Afrique du Sud que Gandhi découvre pour la première fois l'ouvrage de Thoreau, *On The Duty of Civil Disobedience.* « Le magistral traité de Thoreau, écrira-t-il plus tard, m'apportait la confirmation scientifique de ce que j'étais en train de faire [1]. » Le livre de Thoreau ne fait donc que consolider intellectuellement la valeur du conflit inauguré par Gandhi en Afrique du Sud. Certes, l'influence de Henry David Thoreau n'est pas du même ordre que celle de Tolstoï ou de Ruskin, mais néanmoins la pensée et l'action de Gandhi sont imprégnées directement par la théorie thoreauvienne de la désobéissance civile.

Dans son autobiographie *(Mes expériences de vérité),* Gandhi fait mention des livres qui l'ont influencé durant ses années de formation à Londres et plus tard en Afrique du Sud. Or, Gandhi ne cite nulle part l'œuvre de Thoreau. Ce qui peut paraître étrange et permet aux commentateurs de l'œuvre de Gandhi de dire que sa pensée de la désobéissance civile était formée et structurée bien avant la lecture de l'ouvrage de Thoreau. Une lettre de Gandhi datée du 10 septembre 1933 éclaire un peu mieux le problème. « Il est faux, écrit Gandhi, de croire que j'ai pris l'idée de désobéissance civile à Thoreau [...]. Mais quand j'ai connu l'essai de

---

1. Cité dans Suzanne Lassier, *Gandhi et la non-violence,* Seuil, collection Maîtres spirituels, Paris, 1970, p. 39.

Thoreau, je me suis servi de son expérience pour expliquer aux lecteurs anglais ce qu'était notre lutte [2]. »

Dans l'œuvre complète de Mahatma Gandhi (quelque cent volumes), le nom de Thoreau apparaît pour la première fois dans le volume VII. Dans un article écrit pour son journal *Indian Opinion (Opinion indienne)* daté du 7 septembre 1907, Gandhi mentionne à trois reprises le nom de Thoreau en citant un passage de son *On the Duty of Civil Disobedience.* Toutefois, le titre de l'ouvrage de Thoreau n'y apparaît pas. Gandhi écrit : « Il est possible de conduire assez loin la doctrine de la résistance passive, de même qu'il est possible de le faire pour la doctrine de l'obéissance à la loi. Nous ne pouvons choisir une meilleure ligne de partage entre ces deux doctrines que celle choisie par Thoreau en parlant du gouvernement américain : "Si l'on devait me dire que le gouvernement de l'époque était mauvais parce qu'il taxait certaines commodités étrangères introduites dans ses ports, il est plus probable que je ne m'en émeuverais pas car je puis m'en passer. Toutes les machines connaissent des frictions, et il se peut que celle-ci soit assez profitable pour contrebalancer le mal. Mais quand la friction vient à posséder sa machine, que l'oppression et le vol sont organisés, je déclare : refusons de supporter plus longtemps cette machine." Dans l'Acte de registration asiatique, les Indiens britanniques ont uniquement une loi qui possède du mal en elle, c'est-à-dire, pour utiliser les mots de Thoreau, une machine avec de la friction, mais c'est un mal légalisé […] [3]. » Quelques pages plus loin, dans le même numéro d'*Indian Opinion,* Gandhi revient sur les idées de Thoreau en les exposant sous forme d'un court article intitulé « Le devoir de désobéir aux lois », où il dégage les grands axes du livre de Thoreau sans mentionner son titre. Ainsi, Gandhi parle encore une fois de la théorie de la désobéissance, tout en insistant sur sa propre expérience politique en

2. Cité dans *Gandhi et l'Inde nouvelle,* de Camille Drevet, Centurion, Paris, 1959, p. 64.
3. M.K. Gandhi, *Collected Works,* vol. VII, Navajivan Trust, Ahmedâbâd, 1962, p. 211-212.

Afrique du Sud, mais sans citer directement le livre de Thoreau. Il écrit : « Il y a quelques années, vivait en Amérique un grand homme du nom de Henry David Thoreau. Ses écrits sont lus et médités par des millions d'individus. Certains d'entre eux mettent ses idées en pratique. Ils donnent une grande importance aux idées de Thoreau, parce qu'il pratiquait lui-même ce qu'il prêchait [...]. Le titre de cet article traduit le sens général du titre anglais du livre [...]. Son exemple, de même que ses écrits sont actuellement applicables aux problèmes des Indiens du Transvaal [...] [4] » Un mois plus tard, dans un autre numéro d'*Indian Opinion* (5 octobre 1907), Gandhi cite encore une fois le nom de Thoreau. « Il existe une superstition profondément enracinée, écrit-il, qui dit qu'on ne peut désobéir à une loi. Déraciner une telle superstition serait un grand pas en avant pour la communauté. Nous serions considérés comme des Thoreau en miniature, quand nous aurions réussi à résister la loi jusqu'à la dernière personne. À l'heure actuelle, les lecteurs d'*Indian Opinion* doivent être conscients de l'homme qu'a été Thoreau [5]. » Cette dernière phrase de Gandhi nous révèle le degré du sérieux avec lequel il a lu l'œuvre de l'Américain. Ainsi, plus qu'un simple lecteur, Gandhi apparaît comme un vrai adepte de la théorie sur la désobéissance civile. Comme le souligne Louis Fischer dans sa biographie de Mahatma Gandhi : « Des millions de gens avaient lu Ruskin et Thoreau et les acceptaient. Beaucoup d'Indiens les avaient lus aussi et étaient d'accord avec leurs idées. Mais Gandhi prenait au sérieux les mots et les idées, et quand il acceptait une idée dans son principe même, il pensait aussi qu'il fallait la pratiquer [6]. »

Ainsi l'intérêt de Gandhi pour Thoreau augmente au fur et à mesure que son combat contre le général Smuts et les lois sud-africaines prend une tournure décisive. Toutefois, le titre du livre Thoreau apparaît seulement pour la première fois sous la plume de

---

4. M. K. Gandhi, *Collectef Works, op. cit.,* p. 217.
5. *Ibid.,* p. 267.
6. Louis Fischer, *The Life of Mahatma Gandhi,* Bharatiya Vidya Bhavan, Bombay, 1990, p. 112.

Gandhi dans le numéro daté du 26 octobre 1907 d'*Indian Opinion* où il parle de Thoreau comme d'« un grand écrivain, philosophe et poète », et « l'auteur du célèbre essai sur la *Désobéissance civile* [7] ». Notons néanmoins que, dans cet article, Gandhi n'utilise pas les mots « désobéissance civile », mais qu'il parle surtout de la « résistance passive » et « de l'action de désobéir aux lois ». D'après l'un de ses biographes [8], Gandhi n'est pas l'inventeur du concept de « résistance passive ». Car au même moment que Gandhi utilise la notion de « résistance passive » comme un concept clef dans son combat non violent en Afrique du Sud, un autre Indien, Aurobindo Ghose, le théoricien du groupe extrémiste du Congrès national indien, formule la « doctrine de la résistance passive ». Cependant, il existe une grande différence dans la manière dont les deux hommes interprètent ce concept. Pour Ghose, la « résistance passive » doit être « masculine, audacieuse et ardente dans son esprit » et prête à tout moment à « céder sa place à une résistance active et violente [9] ». Or, pour Gandhi, la « résistance passive » a une signification totalement différente.

Deux ans après son retour en Inde, Gandhi précise ce qu'il entend exactement par le mot « résistance passive » dans un article écrit le 2 septembre 1917 : « On dit que la "résistance passive" est l'arme des faibles, précise-t-il, mais le pouvoir dont il est question ici peut être utilisé uniquement par les forts. Ce pouvoir n'est pas la "résistance passive", car il fait appel à une activité intense. Le mouvement en Afrique du Sud n'était pas passif, mais actif. Les Indiens de l'Afrique du Sud croyaient que l'objet de leur lutte était la vérité, et que la vérité triomphe toujours, et avec cette détermination ils restaient obstinément attachés à la vérité [10]. » Il va donc sans dire que Gandhi n'est pas influencé par Aurobindo Ghose dans sa manière d'utiliser le

---

7. M. K. Gandhi, *Collected Works,* vol. VII, *op. cit.,* p. 304.
8. Il s'agit de Dennis Dalton, l'auteur de *Mahatma Gandhi, Non Violent Power in Action,* Columbia University Press, New York, 1993.
9. Cf. Dennis Dalton, *op. cit.,* p. 39-40.
10. M. K. Gandhi, *Collected Works,* vol. XIII, *op. cit.,* p. 521.

concept de « résistance passive », d'autant qu'il abandonne très tôt ce mot pour le remplacer par le concept du *satyagraha*.

En 1907, Gandhi lance un concours dans son journal. Il demande à ses lecteurs de trouver un équivalent hindi pour la notion de « résistance passive ». L'idée à l'origine de ce concours sera développée quelques années plus tard par Gandhi dans son livre *Satyagraha in South Africa*. « Aucun d'entre nous, affirme-t-il, n'avait la moindre idée d'un nom pour notre mouvement. J'ai utilisé donc le terme de "résistance passive" pour le décrire. Mais je ne comprenais pas très bien à l'époque les conséquences de ce mot. Je savais uniquement qu'un nouveau principe venait d'être créé. Or, au fur et à mesure que la lutte prenait de l'ampleur, la notion de "résistance passive" donnait lieu à une confusion et nous avions honte d'appeler notre grand combat uniquement par un nom anglais [...]. Un petit prix a donc été créé pour le lecteur de *Indian Opinion* qui serait capable d'inventer une meilleure désignation pour notre combat. Nous avons reçu un grand nombre de suggestions. Shri Maganlal Gandhi était l'un des concurrents et il a suggéré le mot *sadagraha* qui signifie la "fermeté dans la bonne cause". J'aimais le mot, mais il ne représentait pas complètement toute l'idée. J'ai donc décidé de le changer en *satyagraha*. La vérité *(satya)* implique l'amour, et la fermeté *(agraha)* sert comme un synonyme pour la force. J'ai donc commencé à appeler le mouvement indien [en Afrique du Sud] par le mot *satyagraha,* un mot qui signifie la force qui est née de la vérité et de l'amour ou la non-violence, et j'ai abandonné l'utilisation du mot « résistance passive [...] [11] » Ainsi, à partir de l'année 1908, Gandhi abandonne le mot « résistance passive » pour adopter celui de *satyagraha,* utilisé pour la première fois, le 11 janvier 1908, dans *Indian Opinion*. « *Satyagraha,* écrit Gandhi, est actuellement en train de prendre de l'ampleur. Le *satyagrahi* indien est une figure de plus en plus connue dans le monde. De plus, tout le monde parle en notre faveur. Il paraît que

---

11. M. K. Gandhi, *Collected Works,* vol. XXIX, *op. cit.,* p. 292.

cette question touche la totalité de l'Empire britannique […]. Le journal *Times* a fait appel au gouvernement impérial pour qu'il fasse tout ce qui est en son pouvoir afin d'obtenir la justice pour les Indiens. Voilà le pouvoir miraculeux du *satyagraha* […] [12] » Nous approfondirons plus loin, dans le troisième chapitre de cette première partie, l'idée gandhienne du *satyagraha* et ses rapports avec l'idée de la désobéissance civile chez Thoreau. Mais revenons à l'idée thoreauvienne de la désobéissance civile, telle qu'elle a été étudiée et pratiquée par Gandhi.

Comme nous l'avons remarqué auparavant dans cette étude, Gandhi fait plus de références dans ses articles au nom de Thoreau qu'à sa théorie de la désobéissance civile. Cependant, malgré le nombre limité de références à cette théorie, l'influence de Thoreau semble être claire et nette dans le processus de maturation du concept du *satyagraha*. C'est la raison pour laquelle Gandhi n'a jamais cessé de lire son œuvre. Citons, par exemple, l'article qu'il écrit en prison le 30 janvier 1909 au sujet de ses lectures quotidiennes. « Même si la journée entière est consacrée au travail, on peut trouver du temps les matins et les soirs pour la lecture […] malgré mon temps limité, j'ai réussi à lire deux livres écrits par le grand Ruskin, les essais du grand Thoreau, quelques chapitres de la Bible, la vie de Garibaldi (en goujrati), des essais de lord Bacon (en goujrati) et deux autres livres sur l'Inde [13]. »

Ainsi, tout au long de sa campagne sud-africaine, Gandhi fait référence au livre de Thoreau et conseille même sa lecture à ses camarades. Dans une lettre au docteur Abdurrahman, datée du 23 août 1909, il écrit : « Je vous ai promis de vous envoyer le livre de Thoreau sur la *Désobéissance civile*. Je n'ai pas pu me le procurer. Je le commande aujourd'hui et espère vous l'envoyer avant votre départ [14]. » Cet intérêt pour la pensée de Thoreau est confirmé une fois encore dans la préface de la traduction anglaise de son

---

12. M. K. Gandhi, *Collected Works,* vol. VIII, *op. cit.,* p. 23.
13. *Ibid.,* vol. IX, p. 181-182.
14. *Ibid.,* p. 365.

ouvrage *Hind Swaraj* où il écrit : « Même si les opinions exprimées dans *Hind Swaraj* m'appartiennent, je n'ai fait que suivre Tolstoï, Ruskin, Thoreau, Emerson et d'autres écrivains [...][15] » Par ailleurs, entre les années 1910 et 1919, Gandhi revient sans cesse à l'œuvre de Thoreau en le citant dans ses lettres et ses articles. Et plus il développe son idée du combat non violent pour la justice, plus il fait référence à Thoreau. Or, sur ce point, la période indienne de Gandhi paraît même plus fertile que la période sud-africaine.

La première référence de Gandhi à Thoreau, après son retour en Inde, en 1915, se trouve dans une lettre écrite à l'éditeur du journal *Prajabandhu,* le 20 avril 1916. Parlant des bienfaits de la marche à pied, Gandhi cite encore son inspirateur américain et écrit : « Thoreau avait l'habitude de marcher huit heures par jour quand il écrivait son meilleur livre [16]. » Le « meilleur livre » de Thoreau auquel fait référence ici Gandhi n'est pas la *Désobéissance civile,* mais tout simplement *Walden,* qui est le livre le plus populaire de Thoreau. Or, sans aucun doute, Gandhi avait lu *Walden* avant de découvrir la *Désobéissance civile.* D'après Walter Harding, un éminent spécialiste de l'œuvre de Thoreau, c'est Henry Salt, un socialiste anglais membre de la Fabian Society, qui a conseillé à Gandhi la lecture de *Walden* lors de leur rencontre au sein de la société végétarienne de Londres [17]. Il n'y a aucune indication sur cet événement dans l'œuvre complète de Gandhi. Le nom de Henry Salt n'apparaît que deux fois dans le premier volume de ses écrits. À chaque fois, Gandhi fait une petite allusion au livre de Salt, *Plaidoyer pour le végétarisme.* Gandhi cite également le nom de Salt dans le chapitre XIV de son autobiographie où il écrit : « Je lus de bout en bout le livre de Salt, qui me frappa vivement. Je peux dire que c'est de là que

---

15. M. K. Gandhi, *Collected Works,* vol. X, *op. cit.,* p. 189.
16. *Ibid.,* vol. XIII, p. 270
17. Voir Walter Harding, « Thoreau's Reputation » dans *The Cambridge Companion to H. D. Thoreau,* Joel Myerson (éd.), Cambridge University Press, Cambridge, 1995, p. 7.

date ma décision de me faire végétarien [18]. » Il est donc certain que Gandhi connaissait, durant son séjour à Londres, les écrits « écologiques » de Thoreau. Par ailleurs, il avait pris connaissance de la vie et de l'œuvre de Thoreau grâce à la biographie écrite par H. Salt. Mais comme l'affirme très justement Harding, c'est en Afrique du Sud qu'il a adopté pour la première fois la méthode de Thoreau en utilisant « son traité sur la *Désobéissance civile* comme un manuel dans son combat non violent pour la liberté [19] ».

La période indienne du combat de Gandhi pour l'indépendance est abondante en références à Thoreau et à son essai. Citons quelques exemples. Dans une lettre datée du 18 mars 1918, Gandhi souligne : « Thoreau a dit que là où l'injustice l'emporte, un homme droit et juste ne peut prospérer, et là où la justice s'impose, un tel homme n'est en aucun besoin [20]. »

Dans des indications envoyées aux *satyagrahis,* le 30 juin 1919, Gandhi leur conseille la lecture de son auteur clé [21]. Ou bien encore, en répondant à des questions formulées par le comité d'enquête sur les désordres à Ahmedâbâd, le 5 janvier 1920, Gandhi revient sur l'appellation de son mouvement sous le nom de « désobéissance civile » et souligne l'influence directe de Thoreau [22]. Deux autres références datent des années 1920 et 1921. La première, le 7 juillet 1920, discute de ce que Gandhi appelle la « désobéissance civile pure ». Dans cet article, il cite l'exemple de l'action abolitionniste de Thoreau comme une manière de désobéir aux lois injustes. « Des hommes comme Thoreau, écrit-il, ont préparé le terrain pour l'abolition de l'esclavage à travers leurs expériences personnelles [23]. »

18. M. K. Gandhi, *Autobiographie ou mes expériences de vérité,* PUF, Paris, 1982, p. 65.
19. Walter Harding, « Thoreau's Reputation », *op. cit.,* p. 7.
20. M. K. Gandhi, *Collected Works,* vol. XIV, *op. cit.,* p. 266.
21. *Ibid.,* vol. XV, p. 412.
22. *Ibid.,* vol. XVI, p. 406.
23. *Ibid.,* vol. XVIII, p. 15.

Cependant, bien que Gandhi soit un admirateur de l'œuvre de Thoreau, il prend aussi parfois ses distances par rapport à sa pensée. Le meilleur exemple d'une telle indépendance d'esprit apparaît dans une lettre écrite le 23 mars 1921 à la communauté des Parsis. « La désobéissance civile, dit-il dans cette lettre, est le refus d'appliquer des réglementations immorales. L'expression, à ma connaissance, a été inventée par Thoreau pour exprimer sa résistance aux lois de l'État esclavagiste. Il nous a laissé un traité magistral sur le devoir de désobéissance civile. Mais Thoreau n'était peut-être pas un champion inconditionnel de la non-violence. Il est également probable qu'il limitait son refus d'appliquer les lois à celles qui concernaient le revenu, c'est-à-dire les impôts, tandis que la "désobéissance civile" telle qu'elle a été pratiquée en 1919 recouvrait le refus d'appliquer tous les textes immoraux [24]. »

Cette lettre représente un tournant important dans la lecture gandhienne de l'œuvre de Thoreau, car, pour la première fois, Gandhi se présente comme un lecteur critique, qui se propose de compléter la théorie de la désobéissance civile chez Thoreau en la parachevant par sa propre expérience du *satyagraha*. Le 17 janvier 1931, à Premabehn Kantak, de sa prison de Yeravda Mandir, Gandhi réaffirme la distance critique qui le sépare de Thoreau. « Les personnes qui ont influencé ma vie, écrit-il, dans l'ensemble et d'un point de vue général sont Tolstoï, Ruskin, Thoreau, et Raychandbhai. Peut-être devrais-je éliminer Thoreau de cette liste [25]. »

Certes, Gandhi n'a jamais éliminé Thoreau de sa liste d'auteurs fétiches, mais il a néanmoins poursuivi ses critiques à l'égard de Thoreau en attirant l'attention de ses lecteurs sur les points qui le séparaient de lui.

Une lettre écrite par Gandhi le 10 septembre 1935 à P. Kodana Rao l'atteste : « Il est faux, écrit-il, de croire que j'ai pris l'idée de

---

24. M. K. Gandhi, *Collected Works,* vol. XIX, *op. cit.,* p. 466.
25. *Ibid.,* vol. XLV, p. 95.

désobéissance civile à Thoreau. La résistance à l'autorité en Afrique du Sud était bien avancée avant que je découvre l'essai de Thoreau sur la désobéissance civile. Mais notre mouvement était connu à cette époque sous le nom de "résistance passive". Pour compléter le sens, j'avais inventé le mot de *satyagraha* pour les lecteurs goujratis. Quand j'ai connu l'essai de Thoreau, je me suis servi de son expérience pour expliquer aux lecteurs anglais ce qu'était notre lutte, mais j'ai compris que même les mots "désobéissance civile" échouaient à décrire le sens de notre combat. J'ai donc utilisé le concept de "résistance civile". La non-violence a toujours été une partie intégrante de notre combat [26]. » Il y a donc, là encore, dans l'esprit de Gandhi, une distinction entre l'idée du *satyagraha* et le concept de « désobéissance civile ». Mais il ne faut pas analyser cette distinction comme une contradiction. Gandhi se reconnaît entièrement comme un disciple de la philosophie de Thoreau, mais il se donne la liberté d'aller plus loin dans son interprétation de la pensée thoreauvienne en la complétant par sa propre analyse de l'action non violente. Il est donc plus juste de dire que Gandhi construit sa propre pensée du *satyagraha* dans la continuité de l'œuvre de Thoreau, que de dire qu'il rompt une fois pour toutes avec sa théorie de la désobéissance civile. Les nombreuses citations de Gandhi à propos de Thoreau autour des années trente confirment cette analyse. Dans un article publié dans le *Harijan* (4 avril 1936), Gandhi cite le nom de Thoreau parmi des penseurs comme Ruskin et Tolstoï et les considère comme « des artistes de première classe de leur temps [...] qui continueront à vivre après que nous serons morts, incinérés et oubliés [27] ».

Thoreau continue donc à exercer une fascination sur Gandhi dans les périodes les plus difficiles de sa lutte contre le colonialisme britannique. Cette fascination se développe chez lui comme un besoin philosophique de chercher dans cette pensée un point

---

26. M. K. Gandhi, *Collected Works,* vol. XLI, *op. cit.,* p. 401.
27. *Ibid.,* vol. LXII, p. 311.

d'appui théorique pour son action non violente ; Gandhi cite à plusieurs reprises les réflexions de Thoreau sur des sujets comme la pauvreté, le gouvernement, l'art de marcher, etc. Ainsi par exemple, au sujet des vertus de la pauvreté dans un État tyrannique : « Essayons de réaliser le sage dicton de Thoreau qui dit qu'il est difficile pour des hommes honnêtes de devenir riches sous un pouvoir tyrannique [28]. » Neuf ans plus tard, Gandhi reprend la même citation de Thoreau, mais la modifie quelque peu : « Qu'ils se souviennent des mots immortels de Thoreau qui disent que dans un État tyrannique la possession est un vice et la pauvreté une vertu [29]. »

Gandhi cite aussi très souvent dans ses écrits la fameuse phrase de Thoreau tirée de son essai sur la *Désobéissance civile,* qui dit que « le meilleur gouvernement est celui qui gouverne le moins ». Dans *Young India* (2 juillet 1931), Gandhi écrit à ce propos : « Le pouvoir politique signifie la capacité de régler la vie nationale à travers les représentants de la nation. Or, si la vie nationale devient parfaite et autoréglée, alors aucune représentation ne semble nécessaire. Nous sommes dans un État d'anarchie éclairée […]. Dans l'État idéal, il n'existe donc pas de pouvoir politique, car il n'y a pas d'État. Mais un idéal n'est jamais entièrement réalisé dans la vie. D'où la formule classique de Thoreau qui dit que "le meilleur gouvernement est celui qui gouverne le moins [30]". »

En étudiant de plus près la relation entre la théorie de « la désobéissance civile » chez Thoreau et le concept du *satyagraha* chez Gandhi, nous pouvons conclure que ces deux penseurs réformistes appartiennent à la même communauté de pensée. En d'autres termes, il existe de nombreux points qui rapprochent Gandhi et Thoreau, malgré leurs différences, et parce qu'ils étaient tous les deux élevés dans la tradition des textes sacrés de l'Inde. Henry David Thoreau était à la fois un lecteur assidu des textes classiques

---

28. M. K. Gandhi, *Collected Works,* vol. XLIII, *op. cit.,* p. 352.
29. *Ibid.,* vol. LXX, p. 145.
30. *Ibid.,* vol, XLVII, p. 91.

de l'Inde et de la Chine (Confucius et Lao-tseu). Par ailleurs, Gandhi et Thoreau se retrouvent contre les lois injustes et le principe répressif de l'État, ils revendiquent tous deux l'esprit d'une vie quotidienne simple, et sont proches de la nature.

L'étude de l'œuvre de Thoreau a, à l'évidence, fortifié les idéaux sur lesquels Gandhi avait fondé sa lutte non violente. C'est dans ce sens qu'il faut interpréter sa réflexion à Roger Baldwin lors de son voyage en Inde en 1931. En réponse à une question portant sur l'apport théorique de Thoreau, Gandhi affirme que le traité de la *Désobéissance civile* « contient l'essence de la philosophie politique, non pas uniquement en ce qui concerne la lutte des Indiens contre les Britanniques, mais aussi en ce qui concerne la relation entre les citoyens et le gouvernement [...] [31] ». Il est donc presque impossible de comprendre l'idée de *satyagraha* chez Gandhi sans étudier l'idée de la désobéissance civile chez Thoreau.

---

31. Cité dans H. Anniah Gowda, « Non-violent Resistance in Thoreau and Gandhi » dans *Gandhi and the West,* University of Myosore, 1969, p. 103.

## Chapitre II

# Henry David Thoreau
## *et l'idée de la désobéissance civile*

Henry David Thoreau est considéré comme le père fondateur de l'idée de « désobéissance civile ». Pourtant, il n'est certainement ni le premier à avoir réfléchi sur cette idée, ni le premier à l'avoir pratiquée. Mais l'histoire l'a retenu comme l'auteur d'un traité intitulé la *Désobéissance civile* (*On the Duty of Civil Disobedience* [1]). L'essai est jugé aujourd'hui par les spécialistes de la pensée politique moderne comme un classique sur les rapports entre l'individu et l'État. À ce titre, Thoreau est souvent lu, cité et commenté dans les universités américaines. Ainsi, depuis les années soixante-dix, l'université de Princeton a publié l'œuvre complète de Thoreau. Mais il est aussi lu – et pratiqué – d'une manière systématique par les militants et les théoriciens des droits civiques en Amérique et dans le monde entier. De fait, les deux grandes figures politiques et morales du XXᵉ siècle qui ont subi le plus l'influence directe de H. D. Thoreau sont Mahatma Gandhi et Martin Luther King.

Le traité de Thoreau est considéré comme la bible de ceux qui s'engagent dans le combat éthique contre les lois injustes des gouvernements. Thoreau avait lui-même l'expérience de cette résistance morale face aux lois du gouvernement américain. Il a

---

1. Cet essai a été d'abord publié sous le titre de *Resistance to Civil Government*. Le titre *On the Duty of Civil Disobedience* n'a été choisi que quatre ans après la mort de Thoreau.

passé une nuit en prison en 1846, pour avoir refusé de payer l'impôt en guise de protestation contre la guerre du Mexique et les pratiques esclavagistes de l'État. Thoreau est devenu ainsi le héros de plusieurs générations d'Américains qui voyaient en lui l'homme qui avait su tracer la ligne de partage entre les droits de l'individu et les prérogatives du gouvernement. Or, bien que défenseur ardent des droits individuels, H. D. Thoreau ne peut être considéré comme un militant politique, car il est par nature contre tout projet social organisé. De même, si Thoreau est un grand admirateur de la nature, il n'est pas pour autant un écologiste au sens actuel du terme. La quête de la nature chez Thoreau est imprégnée de toute la philosophie transcendantaliste de son époque. Il écrit dans son *Journal :* « Je suis un mystique, un transcendantaliste et un philosophe naturaliste [2]. » Pour lui comme pour les autres transcendantalistes, la nature est la clef de tous les mystères du monde. C'est la raison pour laquelle il dit que « le paradis est sous nos pieds comme il est au-dessus de nos têtes [3] ». La nature représente pour lui le symbole du renouveau ; elle est le destin originel de l'homme. Il n'y a donc chez Thoreau d'expérience spirituelle que si l'individu social transforme sa vie et s'immerge dans la nature. Pour trouver sa relation idéale avec la nature, l'homme doit prendre du recul par rapport à la société. « Je suis allé dans les bois, écrit Thoreau dans *Walden,* parce que je voulais vivre en toute liberté et avec mesure, en m'exposant aux faits essentiels de la vie [...] pour ne pas découvrir au moment de la mort que je n'avais pas vécu [4]. » Fidèle à son idéal transcendantaliste, Thoreau préconise ainsi la communion spirituelle avec la nature puisque, pour lui, dans la nature, chaque élément symbolise un fait spirituel. Comme dirait Emerson, l'autre grande figure du

---

2. Cité dans « Thoreau and the Natural Environment », par Lawrence Buell, dans *The Cambridge Companion to Henry David Thoreau, op. cit.,* p. 172.
3. H. D. Thoreau, *Walden,* dans *A Thoreau Handbook,* Walter Harding (éd.), New York University Press, New York, 1959, p. 525.
4. H. D. Thoreau, « Walden », dans *Great Short Works of H. D. Thoreau,* Perennial Library, Harper and Row Publishers, New York, 1982, p. 207.

transcendantalisme américain et le mentor de H. D. Thoreau :
« Chaque apparence dans la nature correspond à un état d'esprit[5] ».
Cette citation d'Emerson est l'une des idées clés de la pensée
transcendantaliste, et ce dernier est considéré par tout le monde
comme le chef de file de ce mouvement intellectuel. Il paraît donc
difficile de comprendre la pensée de Thoreau sans se référer à la
philosophie d'Emerson – sans oublier que la pensée d'Emerson
représentait le mode de réflexion dominant en Nouvelle-
Angleterre, pendant le séjour de Thoreau à Harvard.

En fait, c'est Emerson qui a encouragé Thoreau à devenir écrivain, de même qu'il a donné un coup de pouce à la postérité, après
sa mort en 1862, en organisant une cérémonie funéraire dans
l'église de la ville de Concorde, et en prononçant son oraison
funèbre. En faisant l'éloge du travail de Thoreau et de son art de
vivre – qui constituait à ses yeux la recherche de cette plante rare
et inaccessible du nom d'« edelweiss » qui signifie la « pureté
noble » –, Emerson affirme : « Le pays ne sait pas encore quel fils
il a perdu. C'est une grande blessure pour nous que de le voir partir
au milieu de sa tâche non accomplie, qui ne peut être achevée par
personne d'autre [...]. Son âme était faite pour la société la plus
noble ; il a épuisé dans une vie brève les capacités de ce monde ;
là où il y a du savoir, là où il y a de la vertu, là où il y a de la
beauté, il trouvera sa maison[6]. » L'histoire n'a pas désavoué
l'oraison funèbre d'Emerson. H. D. Thoreau a trouvé sa place au
panthéon des grands penseurs américains et mondiaux, et même,
d'un certain point de vue, il est devenu plus célèbre que son
maître. Cependant, l'histoire oublie parfois de lier les deux noms
de Thoreau et d'Emerson.

C'est durant ses années universitaires à Harvard que Thoreau
a lu *Nature,* l'ouvrage d'Emerson. L'impact de ce livre sur lui fut
tel qu'il l'a conseillé à ses autres collègues de Harvard, et l'a

---

5. R. W. Emerson, « Nature », dans *Literary Classics of the United States,*
Library of America Eds., New York, 1983, p. 20.
6. Cité dans l'introduction de *Great Short Works of H. D. Thoreau, op. cit.,*
p. IX.

même offert à un de ses amis. Malheureusement, nous ne connaissons pas la date exacte de la rencontre entre les deux hommes. Toutefois, nous savons que Thoreau a participé à une conférence d'Emerson prononcée à Harvard en 1837 intitulée « The American Scholar », où il donnait une nouvelle ampleur à ses idées transcendantalistes introduites dans *Nature,* sur la connaissance de soi, la révélation divine et l'émancipation de l'âme. « Celui qui a appris à adorer l'âme et de voir que la philosophie naturelle actuelle est seulement les premiers tâtonnements de la main gigantesque de Dieu, ira vers un savoir de plus en plus grandissant [...]. Il verra que la nature est l'autre face de l'âme, lui répondant pièce par pièce. L'une est le sceau, l'autre est l'empreinte. Sa beauté est la beauté de son propre esprit [...], plus il ignore la nature, plus il dépossède son propre esprit. Connais-toi toi-même, étudie la nature[7]. » Ainsi Emerson invitait les jeunes intellectuels américains de son époque à consacrer leur temps à la vie de l'esprit à travers la contemplation de la nature. Il les incitait aussi à avoir une conscience profonde de leur individualité. Cet appel d'Emerson à la pensée créatrice et héroïque, à l'anticonformisme et à l'indépendance d'esprit face à tout artifice social a été entendu par le jeune Thoreau. La relation entre les deux hommes a pris très vite une tournure amicale. En 1838, Emerson écrit dans son *Journal :* « Mon bon Henry David Thoreau a apporté du soleil avec sa simplicité et sa perception claire dans cet autre après-midi solitaire[8]. » Quelques années plus tard, Emerson a demandé à Thoreau de venir l'assister dans la publication de son journal transcendantaliste, *The Dial.* C'est alors qu'il écrit dans une lettre à son frère : « Mon cher Henry Thoreau sera un grand poète pour une telle assemblée et, un de ces jours, il le sera pour toutes les assemblées[9]. »

---

7. R.W. Emerson, « The American Scholar » dans *Literary Classics of the United States, op. cit.,* p. 56.
8. Cité dans « Thoreau et Emerson », par Robert Sattle Meyer, dans *The Cambridge Companion to H. D. Thoreau, op. cit.,* p. 27.
9. *Ibid.,* p. 28.

Connaissant l'intérêt profond de Thoreau pour l'environnement naturel, Emerson lui a permis d'aller construire une cabane sur ses terres à Walden, et il est intéressant de connaître le degré de vénération de Thoreau pour Emerson à l'époque de ce séjour. À ce propos, Thoreau écrit : « Plus que tout autre homme, il a de l'influence sur la jeunesse. Dans son monde, quiconque peut être un poète. Dans ce monde, l'amour aura le pouvoir, la beauté prendra sa place et l'homme et la nature s'harmoniseront. » Thoreau décide de mettre en pratique l'adage émersonien : « Construisez votre propre monde », en construisant son monde loin de la société et près d'un étang. En choisissant une vie d'ermite à Walden, Thoreau donnait à la fois une dimension pratique à sa révolte contre la société matérialiste de son temps, mais il mettait aussi l'accent sur les deux notions essentielles de « vie simple » et de « respect de l'individu ».

Dans son *Journal*, daté du 16 juillet 1850, il écrit : « Il n'est point facile de rendre nos vies respectables à nous-mêmes en prenant n'importe quelle route. Nous devons constamment nous retirer à l'intérieur de nos coquilles de pensée à la manière d'une tortue et désespérément, et pourtant il y a même plus de philosophie dans cette façon d'agir [10]. » Nous pouvons donc conclure que la politique thoreauvienne de la nature est complétée par un engagement négatif à l'égard de la société des hommes. Comme le dit à juste titre Lawrence Buell, un spécialiste de la pensée de Thoreau : « Thoreau sentait plus ardemment le danger de la société envers lui-même qu'il ne sentait le danger de l'humanité pour la nature. Il n'était donc pas étonnant de le voir s'immerger dans la nature et de l'étudier, plutôt que choisir la cause de la défense de l'environnement contre ses violeurs humains [11]. » Cependant, Thoreau est loin d'être un écologiste au sens moderne. Comme il le dit lui-même : « Je n'ai aucun projet pour

10. Cité dans R. K. Dhawan, *Henry David Thoreau (A Study in Indian Influence)*, Classical Publishing Company, New Delhi, 1985, p. 70.
11. Lawrence Buell, « Thoreau and the Natural Environment », dans *The Cambridge Companion to H. D. Thoreau, op. cit.*, p. 187.

la société, la nature ou Dieu. Je suis simplement ce que je suis ou bien je commence à l'être [12]. » Thoreau est un individualiste qui prône l'idée de retour à soi ; pour lui, l'individu a un devoir à l'égard de sa propre conscience plutôt qu'à l'égard d'une loi extérieure à lui-même. Un homme de conscience sera donc caractérisé par son sens de l'indépendance. D'où la nécessité d'une exploration introspective soulignée par Thoreau. En d'autres termes, toute réforme véritable sera avant tout une réforme intérieure. Mais il ne préconise pas une réforme sociale et collective. Au contraire, il est favorable à une réforme individuelle et privée. Ainsi, fidèle à son objectif transcendantaliste, il n'est pas concerné par la société, mais par l'homme en général. Chez Thoreau, la réflexion sur l'essence de l'homme est une manière de retrouver l'état originel de la liberté perdue dans le monde social. Cela signifie que, pour lui, la valeur de toute action est essentiellement personnelle et ce n'est que de cette façon qu'un individu peut être proche de l'universel. Ainsi, bien plus qu'Emerson, Thoreau donne de l'importance à l'expérience pratique et à l'action rédemptrice comme style de vie.

L'expérience waldenienne de Thoreau comme son refus de payer l'impôt trouvent leur racine commune dans l'idée thoreauvienne d'autodétermination individuelle et le désir de devenir un héros carlylien doté d'une vocation morale. Désobéir à toute loi injuste et à toute institution sociale qui empêche l'épanouissement positif de l'individu est la véritable propriété du héros thoreauvien. C'est ainsi que l'acte de désobéissance civile devient chez Thoreau le complément logique de l'idée transcendantaliste de la réforme morale. Car si le contrat divin des hommes est antérieur à tout contrat social, l'allégeance et l'obéissance premières de l'homme sont plutôt envers la nature qu'à l'égard de l'institution de l'État. Pour Thoreau, les lois divines sont au-dessus des lois sociales. C'est pourquoi, dans son essai *Slavery in Massachusetts,* il écrit : « Je rappelle à mes conci-

---

12. Cité dans R. K. Dhawan, *Henry David Thoreau, op. cit.,* p. 102.

toyens qu'ils doivent d'abord être des hommes, et seulement plus tard, au moment opportun, des Américains. Peu importe jusqu'à quel point une loi est précieuse dans la manière dont elle protège votre propriété et réunit votre âme et votre corps. Elle ne vaut rien tant qu'elle n'arrive pas à réunir vous et l'humanité [13]. » Cette idée est reprise par Thoreau dans son essai sur la *Désobéissance civile :* « Le citoyen doit-il un instant, dans quelque mesure que ce soit, abandonner sa conscience au législateur ? Pourquoi, alors, chacun aurait-il une conscience ? Je pense que nous devons d'abord être des hommes, des sujets ensuite. Le respect de la loi vient après celui du droit [14]. »

Pour Thoreau, il existe des lois imprescriptibles auxquelles se soumet l'individu, et qui donc, par leur essence, mettent l'État dans une situation de hors-la-loi. Thoreau reprend ici l'exemple d'Antigone qui désobéit aux commandements de Créon et aux lois de la cité, en accordant la place qui revient à sa conscience. En d'autres termes, face aux lois promulguées par les hommes, il y a des lois supérieures qui sont éternelles, et antérieures aux lois de la cité. Pour Thoreau, comme pour Antigone, il y a une vérité sur laquelle doit s'aligner tout pouvoir institué par les hommes. Comme le souligne Wendell Glick : « Le but principal de Thoreau dans son essai sur la *Désobéissance civile,* c'est de dissuader les hommes de prendre leur distance par rapport à un relativisme trompeur et de retourner aux normes directrices de la vérité absolue [15]. » Dans le conflit entre la loi morale et la loi politique, Thoreau prend le parti de la loi morale en s'appuyant sur le concept de « vérité ». « La vérité du juriste, dit-il, n'est pas la vérité avec un grand "V", mais la cohérence ou une utilité cohérente. La vérité est toujours en harmonie avec elle-même, elle ne se préoccupe pas de révéler la justice qui pourrait résulter du mal-

---

13. H. D. Thoreau, « Slavery in Massachusetts », dans *Great Short Works of H. D. Thoreau, op. cit.,* p. 256.
14. H. D. Thoreau, *La Désobéissance civile,* Éditions Mille et Une Nuits, Paris, 1996, p. 12.
15. Cité dans Walter Harding, *A Thoreau Handbook, op. cit.,* p. 51.

agir [16]. » Thoreau fonde son refus de la légitimité du pouvoir sur la notion de vérité. Ainsi, désobéir aux lois du gouvernement est aux yeux de Thoreau un devoir, puisqu'elles constituent des obstacles à la réforme et à l'émancipation de l'individu. Or, selon Thoreau, l'homme a besoin de se réformer pour atteindre la vérité. En pratiquant la désobéissance civile, le sujet trouve la possibilité d'agir dans la voie de la vérité. Désobéir d'une manière consciente et en toute connaissance de cause est donc la propriété de celui qui est à la recherche de la vérité. Nous retrouvons aussi des traces de cette idée de la recherche de la vérité dans *Walden*. Thoreau écrit dans un passage de ce livre : « Plutôt que de l'amour, de l'argent et de la célébrité, donnez-moi de la vérité [17]. »

En écrivant son essai sur la *Désobéissance civile*, Thoreau a donc une double ambition politique mais aussi spirituelle. Son ambition est politique, parce qu'il est conscient qu'il défend là la liberté individuelle face aux lois esclavagistes du gouvernement américain. Il se donne donc le droit de critiquer le gouvernement américain en pratiquant un acte symbolique de désobéissance. Mais l'individualisme politique de Thoreau est complété par son transcendantalisme spiritualiste. L'individu n'est donc pas seulement valorisé comme un citoyen politique agissant contre une loi injuste, mais aussi comme un homme de conscience, introspectif et indépendant, et qui résiste à l'État pour remonter à la source, c'est-à-dire pour retrouver la vérité originelle. C'est la raison pour laquelle on lit dans la *Désobéissance civile* : « Ceux qui ne connaissent pas de sources de vérité plus pures, qui n'ont pas remonté plus haut son cours, s'en tiennent, et fort sagement, à la Bible et à la Constitution, et y boivent avec déférence et humilité ; mais ceux qui la contemplent lorsqu'elle tombe en mince filet dans ce lac ou cette mare se ceignent les reins une fois de plus, et reprennent leur pèlerinage vers la source du filet [18]. » Sur ce point,

---

16. H. D. Thoreau, *La Désobéissance civile, op. cit.,* p. 45.
17. H. D. Thoreau, « Walden », dans *Great Short Works of H. D. Thoreau, op. cit.,* p. 242.
18. H. D. Thoreau, *La Désobéissance civile, op. cit.,* p. 46.

Thoreau se présente comme un vrai précurseur de la pensée gandhienne de la désobéissance civile. Pour l'un comme pour l'autre, l'idée de la désobéissance civile est dotée d'une dimension spirituelle. De même, ils invoquent tous les deux la vérité comme un étalon de justice.

Il existe cependant une différence importante entre Thoreau et les autres penseurs de la théorie de la désobéissance civile tels que Tolstoï, Gandhi et Martin Luther King. Chez Thoreau, la réflexion sur la désobéissance civile incorpore la question de la violence ; il accorde, par exemple, un soutien total aux méthodes violentes de l'abolitionniste américain John Brown, un fermier qui avait consacré les dernières années de sa vie à la lutte violente contre les esclavagistes. Sa dernière tentative, la plus célèbre, fut son attaque contre l'arsenal gouvernemental de Harper's Ferry en Virginie. Cette attaque avait fait dix-sept morts. John Brown fut arrêté, traduit en justice et pendu pour avoir trahi le gouvernement américain. Thoreau, dans *Plaidoyer pour John Brown,* prend la défense de Brown et apporte un soutien sans limite à son action violente, en faisant l'éloge de son idéal transcendantaliste. « C'était un homme de bon sens, écrit Thoreau, qui allait droit au but en paroles comme en actes ; par-dessus tout, un transcendantaliste, un homme d'idées et de principes [19]. » Dans ce texte, Thoreau établit une analogie entre John Brown et le Christ. D'après lui, John Brown a révélé au monde entier la lumière divine à travers sa lutte, car « il obéit à des ordres infiniment plus hauts [20] ». Et Thoreau d'affirmer : « Il n'accordait aucune valeur à la vie terrestre comparée à son idéal. Il n'a jamais reconnu les lois injustes mais leur a résisté conformément à ses principes. Pour une fois, nous voici arrachés à la poussiéreuse vulgarité de la vie politique et transportés dans le royaume de la vérité et de l'humanité [21]. » Thoreau justifie la violence de John Brown au

---

19. H. D. Thoreau, « Plaidoyer pour John Brown », dans *La Désobéissance civile,* Pauvert, « Libertés », Paris, 1968, p. 118.
20. *Ibid.,* p. 121.
21. *Ibid.,* p. 137.

nom du droit absolu d'intervention par la force contre la force. « Je n'ai envie, dit-il, ni de tuer, ni de me faire tuer, mais je peux imaginer que le temps viendra où l'un et l'autre seront inévitables. C'est par des actes de violence quotidiens que nous sauvegardons la prétendue paix qui règne dans notre communauté [22]. » Le moyen utilisé par John Brown est donc justifié parce que le but recherché par lui est justifié, et nécessite d'être atteint à tout prix. À la différence de Gandhi, Thoreau ne considère pas la violence comme un mal en soi, et il n'existe pas chez lui une équivalence comme pour Gandhi, entre la fin et le moyen. Dans son essai sur John Brown à propos de l'utilisation justifiée de la violence, il écrira sans ambiguïté : « Pour une fois que les fusils Sharpe et les revolvers ont servi une bonne cause et que les instruments se trouvaient entre les mains de ceux qui savaient s'en servir [...], la question n'est plus de savoir quelles armes on utilise, mais dans quel esprit on s'en sert [23]. » Cette « philosophie de la violence » est aussi illustrée par ce passage de la *Désobéissance civile* où il juxtapose encore une fois la désobéissance civile et l'esprit de la violence : « Pour ma part, écrit-il, je n'aimerais pas croire que je m'en remets parfois à la protection de l'État. Mais, si je réfute l'autorité de l'État lorsqu'il présente sa feuille d'impôts, il ne tardera pas à prendre et à détruire tous mes biens, à me harceler sans fin, moi et mes enfants. Cela est chose pénible. Cela interdit à un homme de vivre honnêtement et confortablement à la fois, du point de vue des apparences [...]. Si un millier d'hommes refusaient de payer leurs impôts cette année, ce ne serait pas une mesure violente et sanguinaire, comme le fait de les payer et permettre aussi à l'État de commettre la violence et de verser le sang innocent. Telle est, en fait, la définition d'une révolution paisible, si semblable chose est possible [...]. Mais à supposer même que le sang coule, n'y a-t-il pas une manière

---

22. H. D. Thoreau, « Plaidoyer pour John Brown », dans *La Désobéissance civile, op. cit.,* p. 153.
23. *Ibid.,* p. 153.

d'effusion de sang quand la conscience est blessée ? À travers cette blessure, ce sont la virilité réelle et l'immortalité d'un homme qui s'échappent et le mènent à une mort éternelle. Tel est le sang que je vois couler aujourd'hui [24]. » Au contraire de Gandhi, Thoreau ne préconise pas une non-coopération totale face à la violence. Pour lui, le moyen d'action violent pourrait servir le citoyen dans son acte de désobéissance à l'égard de lois injustes. La violence et la justice vont donc de pair, alors qu'elles sont deux notions opposées dans la pensée de Gandhi. La désobéissance civile, chez Gandhi, est aussi une manière de protester contre la violence ; la violence est donc rejetée à la fois sur le plan moral et sur le plan stratégique. Autrement dit, Gandhi se rapproche de l'idée d'une négation de la violence par la pensée de la non-violence, comme la réalisation intérieure d'une unité spirituelle. Le *satyagraha* se référera directement à l'idée d'*ahimsa* (non-violence). Nous pouvons donc dire que celui qui se réclame de l'idée de la désobéissance civile, dans le cadre de la philosophie gandhienne, ne peut pas ne pas aller à l'encontre de l'idée de non-violence. Et c'est ici que se dessine l'axe central de la pensée politique de Gandhi.

---

24. H. D. Thoreau, *La Désobéissance civile, op. cit.,* p. 28, 30, 31.

## Chapitre III

# *Gandhi et le* satyagraha

La théorie de la désobéissance civile chez Thoreau a eu une influence évidente sur l'expérience gandhienne du *satyagraha* en Afrique du Sud. Toutefois, il serait erroné de surestimer cette influence et de gommer l'originalité de Gandhi en affirmant qu'il n'a fait qu'appliquer la pensée de Thoreau dans sa lutte contre l'Empire britannique. En fait, l'idée principale de cette lutte non violente a bien été découverte par Gandhi quelques années avant la lecture de l'essai magistral de H. D. Thoreau, mais sa lecture a permis à Gandhi de mieux cerner le problème de la lutte non violente, en se focalisant sur le thème de la désobéissance civile. Néanmoins, le concept de « désobéissance civile », on l'a vu, apparaît assez tardivement dans la pensée de Gandhi. Il l'utilise pour la première fois après son retour en Inde, dans une lettre écrite le 27 juillet 1919 où il s'explique sur sa définition. « Je dois essayer d'expliquer ici brièvement ce que j'entends par la désobéissance civile [...]. La désobéissance civile est opposée à la désobéissance criminelle et immorale. La désobéissance civile s'en tient aux lois qui n'entraînent aucune sanction morale [...]. La désobéissance civile est fondée sur l'amour et la bonne volonté, tandis que la désobéissance crimi-nelle est fondée sur la haine et la mauvaise volonté. La désobéissance civile est donc à la désobéissance criminelle ce que la lumière est à l'obscurité ; et quand l'esprit de la déso-béissance civile se répandra, et j'espère qu'il se répandra le plus vite possible [...] les crimes et la violence seront pratiquement les choses du passé [1]. »

Le point de vue de Gandhi se rapproche beaucoup ici de celui de Thoreau, particulièrement par son insistance sur la morale civique de celui qui doit désobéir aux lois injustes. Cependant, nous l'avons noté, Gandhi marque déjà ce concept de son sceau individuel en mettant en avant les deux notions centrales de "vérité" et de "non-violence". Pour Gandhi, la désobéissance civile est considérée comme un moyen non violent pour chercher la vérité. Ce qui l'amène à la considérer non pas comme un but en soi, mais comme l'un des piliers de la pensée du *satyagraha.* « La non-coopération est comme la désobéissance civile, une ramification du même arbre qui s'appelle le satyagraha [2]. » Nous pouvons donc dire que, dans l'esprit de Gandhi, la désobéissance civile et le *satyagraha* représentent plus ou moins la même chose. Or, bien que ces deux concepts aient des racines différentes et aient été forgés à deux périodes distinctes et par deux personnes différentes, Thoreau et Gandhi, néanmoins ils sont les deux versants de la même réalité dans la pensée politique de Gandhi. En d'autres termes, pour Gandhi, le *satyagraha* et la désobéissance civile sont tous les deux des moyens de résistance contre les lois et les ordonnances injustes et répressives d'un gouvernement ou de tout autre pouvoir. Mais sur ce point, Gandhi est bien conscient qu'il va beaucoup plus loin que Thoreau et même contre lui, en attribuant une nature non violente à tout acte de désobéissance civile.

Dans un article *Young India* (23 mars 1921), Gandhi revient sur cette idée : « La désobéissance civile est le refus d'appliquer des réglementations immorales. L'expression, à ma connaissance, à été inventée par Thoreau pour exprimer sa résistance aux lois de l'État esclavagiste. Il nous a laissé un traité magistral sur le devoir de désobéissance civile. Mais Thoreau n'était peut-être pas un

---

1. M. K. Gandhi, *Collected Works,* vol. XV, *op. cit.,* p. 482.
2. *Ibid.,* vol. VI, p. 209.

champion inconditionnel de la non-violence [...], tandis que la désobéissance civile telle qu'elle a été pratiquée en 1919 recouvrait le refus d'appliquer tous les textes immoraux. Elle signifiait la mise hors la loi de tout résistant d'une façon civile, c'est-à-dire non violente, acceptant les sanctions de la loi et subissant joyeusement l'emprisonnement. C'est une ramification du *satyagraha* [3]. » Pour Gandhi, la désobéissance civile est aussi un acte d'amour à l'égard de l'autre. C'est en cela qu'elle est équivalente au concept du *satyagraha,* sans pour autant s'y fondre. Car dans l'acte du *satyagraha,* l'amour est à la fois la fin et le moyen. Pour Gandhi, l'amour est le seul moyen par lequel on peut s'identifier soi-même aux autres êtres vivants. Pour aimer l'autre, il faut pratiquer un grand esprit d'ouverture et de tolérance à l'égard de l'autre. Il n'est donc pas question de soumettre l'autre à sa propre volonté, de même qu'il ne s'agit pas de se soumettre à la volonté de l'autre. Et c'est ici que Gandhi trace la frontière entre l'idée du *satyagraha* et le concept de « résistance passive ». Elle est, écrit Gandhi, « utilisée dans le sens orthodoxe du terme et s'applique au mouvement des suffragettes ainsi qu'à la résistance des non-conformistes. La résistance passive était, dans sa conception, l'arme du faible et fut considérée comme telle. Quoiqu'elle évite la violence, que ne peut utiliser le faible, elle ne l'exclut pas si, de l'avis de celui qui pratique la résistance passive, les circonstances l'exigent. Cependant, elle a toujours été distincte de la résistance armée [...] [4] ». Gandhi considère donc la résistance passive comme un acte négatif, parce qu'elle n'engendre aucun dynamisme positif à l'égard de l'adversaire. Par ailleurs, dans un acte de résistance passive, toute perspective de « souffrance pour l'autre » est absente. Ce qui fait que celui qui résiste passivement ne peut atteindre la vérité d'une manière complète et certaine. C'est la recherche de cette vérité comme la fin de tout acte non violent qui a précisément poussé Gandhi à remplacer les mots de

---

3. M. K. Gandhi, *Collected Works,* vol. XIX, *op. cit.,* p. 466.
4. *Ibid.,* p. 466.

« résistance passive » par celui de *satyagraha.* Quelques années plus tard, il s'expliquera sur cette nouvelle dénomination : « Le terme *satyagraha* a été choisi par moi en Afrique du Sud pour désigner la force que les Indiens de ce pays ont utilisée pendant huit ans, et il a été choisi pour la distinguer du mouvement qui se développait alors au Royaume-Uni et en Afrique du Sud sous le nom de "résistance passive". [...] Le *satyagraha* diffère de la "résistance passive" comme le pôle Nord du pôle Sud. La seconde a été conçue comme l'arme du faible et n'exclut pas l'utilisation de la force physique ou de la violence pour arriver à ses fins, alors que la première a été conçue comme l'arme du fort et exclut l'utilisation de la violence sous toutes ses formes [5]. »

C'est après une réunion au Théâtre impérial de Johannesburg, le 11 septembre 1906, où 3 000 hindous et musulmans se sont rassemblés pour jurer de lutter d'une manière non violente contre les décrets anti-indiens du gouvernement sud-africain, que Gandhi a senti la nécessité de trouver un nouveau nom pour son mouvement. Comme on le sait (cf. *supra* p. 45), c'est Maganlal Gandhi, le cousin germain de Mohandas Gandhi – il vivait à l'époque à la colonie de Phoenix –, qui a suggéré le concept de *sadagraha* (la fermeté dans la conduite droite). Mais Gandhi a préféré utiliser celui du *satyagraha.*

Le *satyagraha* est donc, aux yeux de Gandhi, non seulement une manière de résister à la violence et de désobéir à l'injustice, mais aussi de chercher la vérité ; il n'exprime pas seulement une lutte politique, mais il est aussi une quête spirituelle. Car il n'y a de lutte contre l'injustice, chez Gandhi, qui ne soit en même temps une recherche de Dieu. D'où l'insistance de Gandhi sur le concept de *satya,* c'est-à-dire la vérité qui vient de la racine *sat* en sanskrit, et qui signifie l'existence ; la vérité est donc l'existence, et même toute l'existence, car elle est Dieu. Rechercher Dieu équivaut à chercher la vérité. Mais il en est arrivé à affirmer « qu'il est plus juste de dire que la vérité est Dieu, que de dire que

---

5. M. K. Gandhi, *Collected Works,* vol. XVII, *op. cit.,* p. 152.

Dieu est la Vérité [6] ». Or, penser que « la vérité est Dieu » implique une autre expérience spirituelle, qui est complétée par un refus total de toute prétention à connaître la vérité absolue. Nous avons ainsi cette idée simple et évidente chez Gandhi qui affirme que la vérité se présente à chacun de nous d'une manière différente. « La règle d'or, écrit-il, est la tolérance mutuelle, puisque nous n'avons jamais tous les mêmes idées et que nous ne verrons jamais la vérité que d'une manière fragmentaire et sous des angles divers [7]. » Autrement dit, si la recherche de la vérité est pour Gandhi l'élément essentiel de la vie spirituelle de tous les hommes, chacun reste libre de choisir son approche particulière de la vérité. Il importe donc peu que nous empruntions des chemins séparés et divers, du moment qu'ils convergent vers le même point.

La conséquence directe et logique de cette réflexion gandhienne est l'idée selon laquelle les religions dérivent d'une seule et unique source et donc qu'elles sont équivalentes. « Je crois, écrit Gandhi, qu'il n'y a qu'une seule religion dans le monde, mais je crois aussi que c'est un arbre puissant, qui a beaucoup de branches [...]. Et de même que toutes les branches tirent leur sève d'une même source, de même toutes les religions tirent leur essence d'une même fontaine qui en est la source. Naturellement, s'il y a une religion, il ne peut y avoir qu'un Dieu, et Dieu qui est un tout complet ne peut pas avoir beaucoup de branches. Mais Il est indivisible et indéfinissable et, par conséquent, l'on peut littéralement dire qu'Il a autant de noms qu'il y a d'êtres humains sur la terre. Peu importe le nom par lequel nous le désignons, Il est le même et Il n'a pas de second [8]. »

Gandhi nous enseigne le respect pour la foi de l'autre, car sans cette ouverture d'esprit, il ne peut y avoir de recherche de vérité. Or, puisque d'après Gandhi nous n'en sommes encore qu'à

---

6. M. K. Gandhi, *Satyagraha,* Navajivan Publishing House, Ahmedâbâd, 1968, p. 38.
7. Cité dans *Ce que Gandhi a vraiment dit, op. cit.,* p. 80-81.
8. *Ibid.,* p. 51.

chercher la vérité, nous ne l'avons pas encore trouvée dans sa perfection, et ainsi nous devons être conscients des défauts de notre propre foi. Il s'agit ainsi pour Gandhi de respecter la foi de l'autre, sans être faible et indifférent à l'égard de sa propre foi. L'idée du *satyagraha* implique ainsi le pluralisme religieux. La non-violence nous apprend à être tolérant à l'égard de la foi de l'autre, mais aussi à reconnaître l'imperfection de notre propre foi. Aux yeux de Gandhi, toutes les religions du monde sont vraies, mais elles sont en même temps imparfaites, car la perfection n'est que l'attribut exclusif de Dieu. Mais l'homme, nous dit Gandhi, peut parfaire sa foi en cultivant en lui-même la tolérance pour les autres croyances. « La tolérance, écrit Gandhi, nous donne un pouvoir de pénétration spirituelle qui est aussi éloigné du fanatisme que le pôle Nord du pôle Sud [...] [9] » Gandhi reprend ici à son compte la doctrine indienne de la tolérance, telle qu'elle est exposée dans les grands textes spirituels de l'Inde comme le *Rigveda* ou la *Bhagavad-Gîtâ*. Prenons par exemple ce passage du *Rigveda* (I. 164.46) où il est dit : « Il s'appelle Indra, Mitra, Varna, Agni et aussi Garutman [...]. Le réel est un, même s'il est connu par des noms différents [10]. » La *Bhagavad-Gîtâ* (9 : 23) est aussi très claire où il est écrit : « Même les adorateurs d'autres dieux [...] qui les adorent avec foi, eux aussi, sacrifient à moi seul [...] [11] » Ajoutons à cette citation le commentaire de S. Radhakrishnan dans son introduction à la *Bhagavad-Gîtâ* où il dit que « la *Gîtâ* affirme hautement que le Suprême est le Dieu personnel qui crée le monde perceptible au moyen de la nature Prakrti. Il réside dans le cœur de toute créature ». Et il ajoute : « Aucune description du Brahman n'est possible [...]. Nous ne pouvons le désigner que par l'épithète non duel, *Advaita*, ce qui est connu lorsque toutes les dualités se sont résolues dans

---

9. Cité dans *Ce que Gandhi a vraiment dit, op. cit.*, p. 52.
10. Cité dans « Tolerance and Religious Faith : Some Models and Problems », par M. Amaladoss (éd.) dans *Tolerance in Indian Culture*, R. Balasubramanian (éd.), Indian Council of Philosophical Research, New Delhi, 1992, p. 17.
11. Radhakrishnan, *La Bhagavad-Gîtâ*, Adyac, Paris, 1954, p. 259.

l'identité suprême. Les *Upanishads* abondent en descriptions négatives : le réel n'est pas ceci, pas cela *[na iti, na iti]* [...]. La *Bhagavad-Gîtâ* confirme cette conception des Upanishads en de nombreux passages. Le Suprême y est dit "inmanifesté, impensable et inchangeable [12]".» Chez Gandhi, la référence à l'unité absolue et ultime de Dieu est très explicite. De nombreux commentateurs [13] rapprochent ses références à *Advaita* aux points de vue néo-védantins de Swami Vivekananda qui parlait de «Dieu des pauvres» (Daridranārāyan). Dans un article de *Young India* (4 décembre 1924), Gandhi écrit à ce propos : «Je ne crois pas qu'un individu peut progresser spirituellement, alors que les gens autour de lui continuent à souffrir. Je crois en *Advaita*. Je crois en l'unité de l'homme [...], par conséquent je crois que si un homme progresse spirituellement, le monde entier progresse avec lui, et si un homme tombe, le monde entier tombe avec lui [14].» Pour Gandhi, l'humanité est donc une, comme Dieu est un. Mais puisque Dieu est un, sa loi est une aussi, car Il est la Loi. Mais Il est aussi la vérité, donc la vérité ne peut être qu'une. Si la vérité est une, elle réside donc dans le cœur de tout homme. «C'est là qu'il faut la chercher [...], nous dit Gandhi, nous n'avons pas le droit de contraindre les autres à agir selon notre propre manière de voir la vérité [15].»

Mais, pour Gandhi, la rencontre avec ce qu'il appelle la vérité n'est pas de l'ordre de la connaissance, mais de l'incommensurable. L'homme, selon lui, doit chercher la vérité dans le pays de l'infini, afin de devenir lui-même. En d'autres termes, l'homme ne devient vraiment vrai que s'il se saisit de Dieu, et se saisir de Dieu ou de la vérité, c'est aussi se saisir de soi-même. C'est refuser de subordonner sa propre destinée au cours des événements. C'est pourquoi en répondant à la question : «Qu'est-ce que la

12. Radhakrishnan, *La Bhagavad-Gîtâ, op. cit.,* p. 27, 30.
13. Voir Margaret Chatterjee, *Gandhi's Religious Thought,* McMillan Press, Londres, 1983, p. 104.
14. M. K. Gandhi, *Collected Works,* vol. XXV, p. 390.
15. M. K. Gandhi, *Tous les hommes sont frères, op cit.,* p. 113.

vérité ? », Gandhi déclare : « C'est la voix intérieure qui nous parle [16]. » Nous retrouvons ici, parmi d'autres, l'influence de H. D. Thoreau et des transcendantalistes, qui se justifie par l'idée de « retour à soi ». Gandhi place, à la manière de Thoreau et d'Emerson, la notion du devoir chez l'individu proche de sa conscience, en opposition à la notion du devoir extérieur à soi-même. Ce qui signifie qu'il ne peut y avoir de désobéissance à l'égard d'un devoir extérieur, s'il n'y a pas auparavant une sorte d'obéissance à la conscience individuelle. Le vrai *satyagraha* passe donc par une expérience introspective. La réforme de l'adversaire exige la réforme intérieure. La conscience de l'individu doit ainsi l'emporter sur la conscience de la cité, surtout lorsque la foule préfère, à la justice, la soumission a une loi injuste ou le goût du poison de la haine à celui du nectar de la tolérance. Comme Socrate (qu'il aimait beaucoup), Gandhi affronte courageusement l'esprit de la tyrannie et de l'intolérance par la seule force de son âme. Gandhi considère Socrate comme un *satyagrahi* et un combattant de la vérité. Dans un discours prononcé le 7 juin 1909, il affirme : « Jésus-Christ, Daniel et Socrate représentent les formes les plus pures de la résistance passive et de la force de l'âme [17]. » Et huit ans plus tard, dans une lettre à Shankarlal datée du 2 septembre 1917, il déclare : « Daniel, Socrate, et les Arabes qui se sont jetés devant le feu de l'artillerie française ont été tous des *satyagrahis* [18]. » Or, aux yeux de Gandhi, si Socrate était un *satyagrahi,* il était aussi un homme de vérité. De toute manière, il ne peut être autrement, car les deux attributs vont ensemble dans l'esprit de Gandhi. « Socrate, écrit Gandhi, était l'homme le plus véridique de son temps, et pourtant on dit de lui qu'il avait le visage le plus laid de Grèce. À mon avis, Socrate était beau, car il a consacré toute sa vie à la recherche de la vérité [19]. » Socrate est donc pour Gandhi un

---

16. M. K. Gandhi, *Tous les hommes sont frères, op. cit.,* p. 133.
17. M. K. Gandhi, *Collected Works,* vol. IX, *op. cit.,* p. 243.
18. *Ibid.,* vol. XIII, p. 522.
19. *Ibid.,* vol. XXV, p. 249-250.

exemple à suivre dans la lutte pour la vérité et la non-violence. C'est peut-être pour cette raison qu'il a décidé de traduire l'*Apologie de Socrate* de Platon en goujrati, et de publier ce texte dans les colonnes de son journal *Indian Opinion*. Dans la préface écrite pour cette traduction, intitulée « Le récit d'un soldat de la vérité », Gandhi souligne : « Nous devons apprendre à vivre et à mourir comme Socrate. Il était un grand *satyagrahi*. Il a adopté le *satyagraha* contre son propre peuple et le résultat c'est que les Grecs sont devenus un grand peuple [20]. »

Si Gandhi choisit un homme de raison tel que Socrate comme un symbole de la lutte pour la vérité, c'est parce que lui-même reconnaît la dimension rationnelle du dialogue non violent comme le meilleur moyen de persuader l'adversaire. Gandhi invente donc un fondement épistémologique pour sa théorie de la non-violence. En d'autres termes, aux yeux de Gandhi, s'il faut choisir le chemin de la non-violence, c'est parce qu'on est à la recherche de la vérité. Or, étant donné que chaque homme a une vue différente de la vérité, personne ne peut donc prétendre posséder la vérité absolue. Ce qui amène l'individu à être plus tolérant envers l'adversaire qu'il rejette, tout en prenant une distance critique par rapport à lui-même. Pour Gandhi, le *satyagraha* est un mélange ingénieux de bonne volonté, d'amour, de rationalité communicative et de spiritualité autoréformatrice. Or, comme nous l'avons précisé, le *satyagraha,* chez Gandhi, est aussi considéré comme un acte moral. D'abord, parce qu'il demande au satyagrahi de développer en lui-même un caractère hautement moral qui l'oblige d'accepter la violence de l'adversaire, mais aussi parce qu'il le pousse à abandonner sa violence en acceptant les principes du dialogue. Il s'agit donc de défendre la vérité, non pas en faisant souffrir l'adversaire, mais en souffrant soi-même à sa place. C'est la raison principale de la pratique du jeûne chez Gandhi. Le jeûne n'est pas un acte de mortification, mais un outil au service de la désobéissance civile. « Le jeûne,

---

20. M. K. Gandhi, *Collected Works,* vol. VIII, *op. cit.,* p. 173.

écrit Gandhi, est une arme fougueuse. Il a sa science propre. Personne, à ma connaissance, n'en possède un savoir parfait. Son expérimentation non scientifique sera obligatoirement préjudiciable à celui qui jeûne et sans doute aussi préjudiciable à la cause épousée. En conséquence, seuls ceux qui en ont gagné le droit devraient utiliser cette arme. Un jeûne ne peut être entrepris que par celui qui est lié à la personne contre qui il jeûne. Cette dernière doit être directement associée à l'objectif pour lequel le jeûne est entrepris [...]. Il est à présent évident que, outre la vérité et la non-violence, le *satyagrahi* doit être convaincu que Dieu lui accordera la force nécessaire et que, s'il y a la moindre impureté dans le jeûne, il n'hésitera pas à y renoncer immédiatement. Une patience infinie, une résolution ferme, la volonté d'atteindre l'objectif, un calme parfait et l'absence de colère doivent nécessairement être présents. Mais comme il est impossible qu'une même personne ait toutes ces qualités en même temps, seuls ceux qui se sont consacrés à l'application des lois de l'*ahimsa* doivent entreprendre le jeûne de satyagrahi [21]. » Le jeûne est donc une résistance de l'âme face à l'épée du tyran, mais surtout une manière d'obliger l'adversaire à s'incliner et à accepter sa faute. C'est donc à la fois une technique pour se purifier, et un moyen de convertir l'adversaire à la vérité. Pourtant, le jeûne peut devenir une arme génératrice de violence, si on ne connaît bien sa technique. « L'arme du jeûne, écrit Gandhi le 9 septembre 1933 dans *Harijan,* ne saurait être maniée à la légère. Elle peut facilement prendre la figure de la violence si elle n'est pas employée par quelqu'un d'habile [22]. »

Le génie et l'originalité de Gandhi sont d'avoir su utiliser cette arme d'une manière adéquate dans son combat non violent. Gandhi a jeûné dix-sept fois. Outre les deux grèves de la faim

21. M. K. Gandhi, *Résistance non violente,* Buchet/Chastel, Paris, 1986, p. 263-264.
22. H. S. Polak, « Satyagraha and its Origin in South Africa », cité dans *Gandhi Memorial,* par Kshitis Roy (éd.), Santiniketan Press, *Santiniketan,* 2 octobre 1949, p. 35.

qu'il a annoncées explicitement jusqu'à la mort, il a entrepris une quinzaine de jeûnes d'une durée de sept jours en moyenne. Parmi ces jeûnes, trois étaient consacrés à l'unité entre les musulmans et les hindous, trois contre l'intouchabilité, quatre contre la violence, trois pour la purification de son âme, un pour encourager les ouvriers grévistes d'Ahmedâbâd, et seulement trois contre le gouvernement britannique. Par ailleurs, Gandhi vise trois objectifs à travers le jeûne. D'abord, c'est pour lui une manière d'exprimer sa désobéissance à l'égard des injustices. Deuxièmement, il veut montrer son sens de la responsabilité envers les fautes commises par ses camarades de combat. Enfin, il considère le jeûne comme un moyen pour réveiller la conscience morale de son adversaire et conforme à l'exigence de la non-violence. Ainsi Gandhi est conscient de la nature coercitive de son action, mais il insiste pour dire que la contrainte qu'elle exerce sur les autres est purement morale. Sur ce point, Gandhi compare l'acte de jeûner à la parole du Christ sur la croix. « Sa mort sur la croix, écrit-il dans son *Autobiographie,* était pour le monde un exemple sublime [23]. » Ainsi, chez Gandhi, la souffrance ressentie, mais aussi communiquée par la grève de la faim, est un des éléments de la non-violence. Ici, encore une fois, Gandhi s'inspire de Jésus : « L'exemple de la souffrance de Jésus est un des éléments de ma foi inébranlable en la non-violence qui règle les actes temporels [24]. »

En d'autres termes, il ne s'agit pas de convertir l'adversaire aux idéaux qui sont les siens. « Nous n'avons aucun droit, répète-t-il, de convertir les gens par le moyen du jeûne à nos propres idéaux. Ce serait une espèce de violence. Mais c'est notre devoir de fortifier la conviction de ceux qui possèdent les mêmes idéaux à travers le jeûne [...] [25] » Il n'est donc pas légitime d'avoir recours à la grève de la faim, si l'on ne s'identifie pas avec la

---

23. M. K. Gandhi, *Autobiographie, op. cit.,* p. 171-172.
24. Cité dans *Ce que Gandhi a vraiment dit, op. cit.,* p. 71.
25. M. K. Gandhi, *Collected Works,* vol. XXIV, *op. cit.,* p. 474-475.

cause de la vérité. « Un jeûne, écrit-il dans une lettre datée du 30 octobre 1932, doit être caractérisé par une vérité et une non-violence parfaites et il doit être pratiqué en écoutant sa voix intérieure et non pas en imitant quelqu'un d'autre. L'on ne doit jamais entreprendre un jeûne pour une fin égoïste, le but d'un jeûne doit être toujours le bien commun [26]. » Le jeûne ne doit pas nous faire oublier le respect de la croyance de l'autre, car sans cette ouverture d'esprit il ne peut y avoir de recherche de la vérité.

Quoi qu'il en soit, Gandhi ne s'est jamais fait illusion sur la difficulté de ce problème. Adepte de la religion hindoue, il s'affichait très souvent avec des musulmans, et il est allé jusqu'à demander aux autres adeptes de l'hindouisme d'apprendre la langue ourdou pour pouvoir mieux communiquer avec les musulmans de l'Inde. L'axe central de la culture de la non-violence se trouve, chez lui, dans sa pratique de la non-violence contre la lutte meurtrière entre les hindous et les musulmans.

Conscient de la grande difficulté de sa tâche, Gandhi pousse jusqu'au bout de sa force sa technique de la non-violence, en entreprenant des jeûnes illimités pour que cessent les affrontements entre les deux communautés. « Mes expériences en Afrique du Sud, écrit-il, m'avaient convaincu que ce serait la question de l'unité entre hindous et musulmans qui mettrait mon *ahimsa* le plus rudement à l'épreuve, et que ce problème était celui qui présentait le champ le plus vaste à mes expériences d'*ahimsa* [27]. » Sur ce point, l'Inde n'a pas pu suivre jusqu'au bout Gandhi dans cette voie. Mais son défi est toujours le même. Il n'y a une quête de la vérité que par la non-violence, mais pour qu'il y ait une unité de la non-violence, il faut « une foi vivante avec un programme constructif ». La pensée du *satyagraha* implique donc la philosophie du *Sarvodaya*. C'est ici que l'apport de John Ruskin devient essentiel pour la compréhension de la pensée économique et sociale de Gandhi.

---

26. M. K. Gandhi, *Collected Works,* vol. LI, *op. cit.,* p. 316.
27. Cité dans *Ce que Gandhi a vraiment dit, op. cit.,* p. 114.

# Deuxième partie

# John Ruskin

« Gandhi tient la clé du désir de l'humanité pour la justice sociale ; suivez-le avec conviction et courage. J'y ai toujours trouvé une source intarissable d'inspiration. »

Nelson MANDELA

# Chapitre I

## Gandhi lecteur de Ruskin

En 1904, Mahatma Gandhi découvre pour la première fois l'œuvre de Ruskin. Il voyageait à cette époque entre Johannesburg et Durban. C'est Henry Polak qui prêta à Gandhi une copie du livre de Ruskin, *Unto this Last (Jusqu'au dernier)* lors d'une visite de courtoisie. Polak savait que Gandhi allait aimer ce livre, mais il était loin d'imaginer qu'il succomberait à sa magie. La magie, tel est bien le mot utilisé par Gandhi lui-même, dans son *Autobiographie,* pour décrire l'effet de l'ouvrage de Ruskin : « Monsieur Polak avait eu droit à toutes mes confidences. Il m'accompagna jusqu'au train, et me laissa, pour lire durant le trajet, un livre qui, me dit-il, me plairait certainement. C'était *Jusqu'au dernier* de Ruskin. Impossible de m'en détacher ; dès que je l'eus ouvert il m'empoigna. De Johannesburg à Durban, le parcours prend vingt-quatre heures. Le train arrivait le soir. Je ne pus fermer l'œil de la nuit. Je résolus de changer de vie en conformant ma nouvelle existence aux idées exprimées dans cet ouvrage. C'était le premier livre de Ruskin que je lisais […]. Je crois que ce livre immense me renvoya alors, comme un miroir, certaines de mes convictions les plus profondes ; d'où la grande séduction qu'il exerça sur moi et la métamorphose qu'il provoqua dans ma vie […] voici, tels qu'ils m'apparurent, les trois enseignements de cet ouvrage :
    1. que le meilleur de l'individu se retrouve dans le meilleur de la collectivité ;

2. que le travail de l'homme de loi ne vaut rien ni plus ni moins que celui du barbier, dans la mesure où tout le monde a également droit à gagner sa vie par son travail ;

3. qu'une vie de labeur – celle du laboureur ou de l'artisan, par exemple – est la seule qui vaille la peine d'être vécue.

« Je connaissais le premier de ces préceptes. Du deuxième j'avais une idée confuse. Le troisième ne m'était jamais venu à l'esprit. *Jusqu'au dernier* me montra, clair comme le jour, que le deuxième et le troisième enseignements étaient contenus dans le premier […] [1] »

En lisant ces phrases, nous comprenons mieux la nature véritable de l'influence du livre de Ruskin sur Gandhi, et la raison principale de sa traduction en goujrati sous le titre de *Sarvodaya*. De même, il fallut peu de temps pour que Gandhi décide de créer une communauté en s'inspirant des idées socio-économiques de Ruskin. Après un long entretien avec Alfred West, il pris la décision de transférer *Indian Opinion* à 25 kilomètres de Durban, dans une ferme, près de Phoenix. Gandhi abandonna ainsi son métier d'avocat pour adopter la vie simple d'un fermier et d'un artisan. H. S. L. Polak, dans son article « *Satyagraha* et son origine en Afrique du Sud », revient sur cet épisode de la vie de Gandhi en soulignant : « Au cours de son expérience durant ces années incertaines, Gandhi a réalisé qu'il devait renoncer à sa pratique juridique, d'abord parce qu'il ne voulait pas gagner sa vie à travers une profession qui avait pour but de maintenir les décrets des tribunaux, et ensuite parce qu'il avait déjà adopté la vie simple d'un fermier et d'un artisan sous l'influence de *Jusqu'au dernier* de Ruskin [2]. »

C'est l'accent mis par Ruskin sur l'idée d'un épanouissement de l'homme dans une vie simple où le travail a pour but d'apporter le bonheur qui a permis à Gandhi d'arriver à cette conclusion que le bien de l'individu et celui de la société ne sont en aucune

---

1. M. K. Gandhi, *Autobiographie, op. cit.,* p. 378-379.
2. Cité dans *Gandhi Memorial, op. cit.,* p. 11.

manière contradictoires. Cependant, l'appel lancé par Ruskin pour une vie simple dans *Unto this Last,* n'était en aucune façon un éloge de la simplicité en tant que telle, mais plutôt une condamnation de la vie luxueuse de l'Angleterre victorienne. La lecture de Ruskin apportait une confirmation théorique aux convictions qui étaient déjà celles de Gandhi. Il faut se référer surtout à ce dernier passage de *Unto this Last :* « Le genre d'existence à laquelle les hommes sont assignés actuellement par toute sorte d'arguments de défense et d'appel au droit, peut ne pas paraître luxueuse pour une certaine période de temps, et on peut même la considérer innocente [...] si on la regardait de notre point de vue, mais elle accompagne néanmoins une grande souffrance dans le monde [...] [3] »

Il est donc certain que c'est après la lecture de ces phrases que Gandhi a renoncé à son ambition professionnelle en tant que juriste, et qu'il a décidé d'adopter une vie s'identifiant avec la masse des pauvres. Les multiples expériences de Gandhi dans la colonie de Phoenix, et plus tard sa vie dans l'*ashram* de Sabarmati situé à l'extérieur de la ville d'Ahmedâbâd résultent de cette décision. Gandhi explique dans son *Autobiographie* les raisons du choix de l'emplacement de l'*ashram* de Sabarmati : « J'avais une prédilection pour Ahmedâbâd, écrit-il, j'étais goujrati et j'estimais que c'était dans la langue goujrati que je pouvais rendre le plus de services à mon pays. Et puis, comme Ahmedâbâd était un ancien centre de tissage à la main, il était probable que j'y trouverais le champ favorable par excellence à la renaissance de cette industrie artisanale [4]. » L'intérêt de Gandhi pour le tissage à la main et ses efforts pour la renaissance de l'industrie artisanale comme un moyen non violent contre le colonialisme anglais, étaient une des conséquences de sa lecture de Ruskin. Ainsi, se rappelant ses propos sur la vie harmonieuse

---

3. John Ruskin, *Unto this Last and other Writings,* Penguin Books, Londres, 1985, p. 228.
4. M. K. Gandhi, *Autobiographie, op. cit.,* p. 506.

de la communauté, Gandhi cherchait à réconcilier les deux forces du travail et du capital.

Gandhi prêche, plus précisément, pour l'idée de coopération, plutôt que celle de compétition, et il invite les patrons et les ouvriers à se respecter mutuellement. Pour Gandhi, il n'y a aucune distinction entre les différentes sortes de travail. À ses yeux, tous les travaux sont dignes et respectables, tant qu'ils sont exécutés pour gagner le pain quotidien et non pas pour accumuler de l'argent. Pour Gandhi comme pour Ruskin, la vie est plus importante que l'argent. Ce qui veut dire que le bien-être du producteur compte plus que le plaisir du consommateur. Gandhi reprend ici la notion ruskinienne de la richesse qu'il oppose à la définition donnée par Adam Smith dans son livre *La Richesse des nations*. Chez Smith, en effet, c'est la concurrence qui est la condition nécessaire pour la création d'un ordre social harmonieux où les bénéfices de la croissance économique et de l'efficacité seront diffusés dans la société. Autrement dit, Smith défend l'idée d'un lien étroit qui existe entre les besoins privés, l'accroissement de la richesse et l'accumulation du capital privé. À l'inverse de Smith, Gandhi et Ruskin sont tous deux opposés aux idées principales de l'économie classique. Ils rejettent à la fois l'idée de l'expansion du marché et celle de l'accroissement de la productivité. Car n'oublions pas que dans la vision économique de Ruskin et de Gandhi, les industriels déterminent un prix fixe, au lieu de se faire concurrence ; le capital et le travail deviennent des éléments moteurs du bien-être commun au lieu d'être des principes d'acquisition et de préservation de la richesse.

Sur ce plan, Ruskin ridiculise les capitalistes qui consacrent leur vie à accumuler de l'argent. « Avec la multitude d'hommes riches, écrit-il, l'administration dégénère en une curatelle ; ils tiennent en main leurs propriétés comme des *trustees* pour le profit de quelques personnes à qui ils les légueront après leur mort [...]. Quelle serait la décision vraisemblable d'un jeune au seuil de son entrée dans la vie, à qui la carrière préparée pour lui serait proposée en ces termes : "Vous devez travailler inlassablement et, avec votre grande intelligence, vous pouvez accumuler une grande somme d'argent durant vos années de travail, mais vous ne pouvez pas toucher cet argent [...] et sur votre lit de mort vous aurez le pouvoir de choisir celui à qui cette richesse appartiendra." [...] [5] » Le concept de *trustee* utilisé dans ce texte par Ruskin est considéré comme l'une des idées centrales de la pensée économique de Gandhi. Et c'est sous l'influence de Ruskin que Gandhi a utilisé pour la première fois ce concept, devenu par la suite l'une des idées clés de sa philosophie. Nous reviendrons dans le troisième chapitre de cette partie sur l'idée gandhienne du *trusteeship*.

Si nous lisons avec attention l'œuvre complète de Gandhi, nous trouvons de multiples références au nom et aux idées de Ruskin. Il nous suffit d'en prendre quelques exemples pour mieux cerner la nature de l'influence de l'un sur l'autre. La première référence à Ruskin apparaît dans un article écrit pour *Indian Opinion* (5 novembre 1904), quelques mois après la découverte par Gandhi du livre de Ruskin. Il écrit : « Ruskin a dit quelque part que l'homme, en tant qu'agent économique, ne doit pas être étudié comme une machine, mais doit être considéré avec tous ses attributs mentaux [6]. » Un an plus tard, dans un autre article écrit pour le même journal, Gandhi oppose la conception économique de Ruskin (en tant que penseur anglais) à celle de l'impérialisme anglais. « L'expansion du commerce et l'acquisition du territoire ne sont pas les seules choses que vise un vrai impérialiste. Il existe un idéal plus grand et plus noble pour lequel il faut travailler : celui de produire le plus possible "des êtres humains pleins de vie, de perspicacité et de bonheur". Nous proposerons cet idéal aux hommes de la rue en Afrique du Sud et nous leurs demanderons d'abandonner leur haine raciale et leur volonté de

---

5. Cité par Elizabeth T. McLaughlin, *Ruskin and Gandhi,* Associated University Press, Londres, 1974, p. 106.
6. M. K. Gandhi, *Collected Works,* vol. IV, p. 250.

distinguer les hommes selon la couleur de leur peau [7]. » C'est dans ce but que Gandhi conseille la lecture de Ruskin à ses amis, et lui-même continue à lire les autres écrits de l'essayiste anglais. C'est ainsi que dans une lettre à Chaganlal, datée du 12 mai 1907, il écrit : « Je te conseille la lecture du livre de Ruskin [8]. » Quelques années plus tard, en 1909, dans une lettre écrite de la prison à son fils Manilal, Gandhi fait à nouveau mention du livre de Ruskin parmi ses lectures quotidiennes. « J'ai lu une grande quantité de livres en prison. J'ai lu Emerson, Ruskin et Mazzini. Ils sont tous d'accord pour dire que l'éducation n'est pas la connaissance des lettres, mais la formation du caractère, c'est-à-dire la connaissance du devoir [9]. » Pour Gandhi, l'éducation est le maître mot de l'enseignement de Ruskin. Ce dernier avait lui-même beaucoup réfléchi et écrit sur le thème de l'éducation. Par exemple, dans un passage de son essai intitulé *Crown of Wild Olive* (1886) *(La Couronne d'olivier sauvage),* il écrit : « L'objet entier de la vraie éducation est non pas d'apprendre à quelqu'un de faire les choses justes, mais de prendre plaisir à ces choses-là. De ne pas être simplement un être industrieux, mais d'aimer l'industrie ; de ne pas être simplement un connaisseur, mais d'aimer la connaissance ; de ne pas être simplement un être juste, mais d'avoir faim et soif de justice [10]. »

Pour Ruskin, la vraie éducation, c'est l'exercice de l'âme humaine et la pratique de la vertu. C'est la raison pour laquelle il défend l'idée qu'il faut donner aussi de l'importance à l'esprit du travailleur et non pas uniquement au produit de son travail. Avec Ruskin, il ne peut y avoir un bon produit du travail sans un esprit du devoir. Or, cet esprit du devoir ne peut être développé qu'à travers l'éducation. « Dans le cœur humain, écrit Ruskin, il existe toujours un instinct pour tous les devoirs – un instinct que vous ne pouvez

---

7. M. K. Gandhi, *Collected Works,* vol. V, *op. cit.,* p. 326-327.
8. *Ibid.,* vol. VI, p. 476.
9. *Ibid.,* vol. IX, p. 208.
10. Cité dans *Ruskin and Gandhi,* par Dr. V. Lakshmi Menon, Sarva Seva Sangh, Varanasi, 1965, p. 54.

pas étouffer, mais seulement pervertir et corrompre si vous l'éloignez de son vrai chemin. Prenez par exemple cet intense instinct d'amour qui peut nourrir la sainteté de la vie s'il est bien discipliné et l'inverse s'il est mal dirigé [11]. » Gandhi reprendra cette idée ruskinienne en l'utilisant dans un contexte purement indien. C'est dans son célèbre livre intitulé *Constructive Programme* que nous pouvons lire un exposé de ce principe. « Dans notre pays, écrit-il, il y a eu un divorce entre le travail et l'intelligence. La conséquence en a été une stagnation. S'il y a un mariage indissoluble entre les deux et dans la manière où il est suggéré ici, le résultat sera inestimable […]. Le divorce entre l'intelligence et le travail a eu pour conséquence la négligence criminelle des villages [12]. » Quant à l'idée du devoir développé à maintes reprises par Ruskin dans ses différents livres, elle est reprise par Gandhi dans sa paraphrase de *Unto this Last* de Ruskin sous le titre de *Sarvodaya*. À ce sujet, Gandhi fait une comparaison intéressante entre l'idée du devoir chez Socrate et chez Ruskin. « Socrate, dit Gandhi, nous a donné une idée du devoir de l'homme. Il a pratiqué lui-même ses préceptes. Nous pouvons dire que les idées de Ruskin sont une élaboration de celles de Socrate. Ruskin a décrit d'une manière vivante comment celui qui veut vivre les idées de Socrates doit bien se conduire dans les différentes vocations [13]. » Dans ce même volume consacré aux écrits de l'année 1908, Gandhi cite plusieurs fois le nom de Ruskin en faisant parfois de brèves analyses de ses idées. Prenons par exemple ce pamphlet consacré à Ruskin dans le même volume où il écrit : « Ce que Ruskin a écrit pour ses concitoyens, les Britanniques, est mille fois plus applicable à la situation des Indiens [14]. » Cette citation montre le degré d'intérêt et de ferveur de Gandhi pour l'œuvre de Ruskin. Cette dévotion intellectuelle pour Ruskin n'a jamais disparu. Au contraire, elle

---

11. Cité dans *Ruskin and Gandhi, op. cit.,* p. 47.
12. M. K. Gandhi, *Constructive Programme,* Navajivan Publishing House, Ahmedâbâd, 1941, p. 14-15.
13. M. K. Gandhi, *Collected Works,* vol. VIII, *op. cit.,* p. 241.
14. *Ibid.,* p. 373.

n'a cessé d'augmenter au fil des années à l'occasion de ses multiples expériences politiques et sociales.

Comme nous l'avons précisé auparavant, Ruskin était à l'origine de l'idée de la vie communautaire chez Gandhi et de la création de la colonie de Phoenix. Dans le numéro daté du 3 juillet 1909 d'*Indian Opinion,* Gandhi apporte plus de précision sur ce point : « Le projet de ce journal, comme les lecteurs le savent bien, est de mettre en pratique les idées essentielles de Tolstoï et de Ruskin [...] [15] » De fait, à côté de Thoreau et de Tolstoï, Ruskin est l'un des piliers intellectuels de la pensée du *satyagraha* qu'il rappelle souvent. « Là, pour prêcher les principes cardinaux de la doctrine du *satyagraha,* la nécessité de la plus stricte adhérence à la vérité et à l'*ahimsa* et le devoir de la désobéissance civile, les ouvrages suivants doivent être distribués : *La Désobéissance civile* de Thoreau, *Hind Swaraj* et l'*Apologie de Socrate* écrit et traduit par moi, la *Lettre aux libéraux russes* de Tolstoï et *Jusqu'au dernier* de Ruskin [16]. » Une autre allusion à Ruskin, au sujet de sa contribution à l'idée du *satyagraha* se trouve dans une lettre écrite par Gandhi en prison et publiée le 30 janvier 1909 dans les colonnes d'*Indian Opinion :* « Nous pouvons trouver, écrit Gandhi, la doctrine du *satyagraha* dans les écrits de Ruskin et de Thoreau [17]. » Les écrits de Ruskin sont donc devenus chez lui une arme théorique pour son combat non violent dans les campagnes politiques menées en Afrique du Sud et en Inde, et sont même, dans les situations les plus rudes et difficiles, comme durant ses années de prison, ses références permanentes. Nous avons déjà cité cet article publié dans *Indian Opinion* le 23 mars 1908 où Gandhi parle de ses expériences et de ses lectures : « La prison, dit-il, a une bibliothèque qui prête des livres aux prisonniers. J'ai emprunté quelques-uns des livres de Carlyle et la Bible [...] j'avais aussi quelques-uns de mes propres livres comme les

15. M. K. Gandhi, *Collected Works,* vol. IX, *op. cit.,* p. 274.
16. *Ibid.,* vol. XV, p. 412-413.
17. *Ibid.,* vol. IX, p. 182.

écrits de Tolstoï, de Ruskin et de Socrate [18]. » Deux ans plus tard, le nom de Ruskin est mentionné encore une fois dans *Hind Swaraj*. Dans la préface de ce livre, Gandhi écrit : « Bien que les idées exprimées dans *Hind Swaraj* le soient par moi, je n'ai fait que suivre humblement Tolstoï, Ruskin, Thoreau, Emerson et d'autres écrivains [...] [19] ».

Dans sa période indienne, les références à Ruskin sont plus nettes et plus claires. Dans un discours prononcé le 10 septembre 1928, il parle des influences qu'il a subies et place Ruskin en troisième position après Rajchandra et Tolstoï. « Je dirais que trois hommes ont eu une grande influence sur ma vie. Parmi eux, le poète Rajchandra a la première place, Tolstoï la deuxième et Ruskin la troisième. Si je devais choisir entre Tolstoï et Ruskin et si j'en savais plus sur leurs vies, je ne saurais pas à qui donner la préférence [20]. » Trois ans après ce discours, à l'occasion de sa participation à la Conférence de la Table ronde et en réponse à la question de l'éditeur de la revue *Spectator* sur le livre qui a le plus bouleversée sa vie, Gandhi affirme : « Le livre qui m'a le plus influencé c'est *Unto this Last* de Ruskin [21]. » D. G. Tendulkar, dans sa biographie volumineuse et complète de Mahatma Gandhi, relate aussi un entretien entre ce dernier et quelques personnes invitées à Deccan Chief's, lors de la conférence à Poona en 1946. Au cours de cet entretien, Gandhi revient sur l'influence de Ruskin : « [...] Et après, j'ai lu *Unto this Last* de Ruskin [...]. J'ai vu clairement que si l'humanité devait progresser et réaliser son idéal d'égalité et de fraternité, elle ne pourrait le faire sans adopter les principes de *Unto this Last* [22]. »

---

18. M. K. Gandhi, *Collected Works,* vol. VII, *op. cit.,* p. 159.
19. M. K. Gandhi, *Hind Swaraj,* Cambridge University Press, Cambridge, 1997, p. 6.
20. M. K. Gandhi, *Collected Works,* vol. XXXVII, *op. cit.,* p. 261.
21. Shri Ram Sharma, *Gandhi, The Man and the Mahatma,* Rajan, Chandigarh, 1985, p. 27.
22. D. G. Tendulkar, *Mahatma (Life of M. K. Gandhi),* vol. VII, Ministry of Information and Broadcasting, Governement of India, New Delhi 1953, p. 180.

Il faut dire que Gandhi est sans aucun doute la seule personne qui a vraiment compris le message de Ruskin développé dans son livre majeur. Ruskin lui-même n'a jamais eu ni l'occasion ni l'envie de mettre en pratique sa pensée économique et sociale. Par ailleurs, ironie du sort, l'histoire a retenu son nom comme celui d'un historien et d'un critique d'art. Mais il va sans dire que la sensibilité esthétique de Ruskin trouve son expression dans ses théories socio-économiques. Autrement dit, la recherche de la beauté esthétique est indissociable de sa conception de la vérité morale et de la justice sociale.

## Chapitre II

## *Ruskin et la parabole du vignoble*

« Voilà longtemps que nous avons perdu de vue Ruskin »,
écrivait Marcel Proust dans *Le Figaro* du 13 février 1900.

Il y a bientôt cent ans que John Ruskin a quitté ce monde et pourtant sa pensée ne cesse de nous solliciter et son destin s'avère être, à certains égards, plus contemporain que jamais. L'œuvre de Ruskin a connu cette postérité étonnante d'avoir été, selon les périodes et les circonstances, lue et revendiquée tant par les libertins et les athées, que par les religieux et les conservateurs. Même ses adversaires honoraient en lui un grand écrivain de talent dont la prose se nourrissait de rappels bibliques et d'images poétiques. On a parlé de Ruskin comme d'un réaliste, parce qu'il invitait l'artiste à la pure imitation de la nature. Plus tard, on a dit qu'il était un romantique, du fait qu'il prêchait la prédominance de l'imagination et de la sensibilité sur la raison raisonnante, et qu'il exprimait d'une manière profonde les extases d'une communion avec la nature. Enfin, William Morris, le prophète de la pensée socialiste anglaise disait que « les livres de Ruskin [étaient] une sorte de révélation [1]... ». Proust, dans une « Chronique des arts et de la curiosité », le 27 janvier 1900, citait Ruskin comme « le directeur de conscience de son temps et son professeur de goût et son initiateur à la beauté [2] ».

---

1. Cité dans l'introduction de *Unto this Last and other Writings, op. cit.,* par Clive Wilmer, p. 35.
2. Marcel Proust, *Journées de lecture,* coll. 10/18, Paris, 1993, p. 67.

Cependant, si le nom de Ruskin est inscrit à jamais parmi ceux des plus glorieux de la pensée européenne, cela ne tient pas uniquement à l'originalité de telle ou telle de ses œuvres. Certes, quelques-uns de ses textes sont de purs joyaux de l'histoire de l'art, et il va sans dire qu'aucun auteur de l'époque victorienne ou même post-victorienne n'a pu offrir de plus délicates émotions sur une cathédrale gothique ou parler, d'un style aussi simple mais précieux, des œuvres du peintre Turner. C'est que l'accord entre toutes les faces du génie de Ruskin se manifeste constamment dans son langage, tissu musical d'une extraordinaire densité, où la franchise de l'esprit ruskinien concourt à la plénitude de son imagination sensuelle. Or, s'il a subi des influences comme celles de Goethe, de Keats, de Wordsworth, d'Emerson et de Carlyle, il a pourtant réussi à échapper aux débats qui dominaient entre les classiques et les romantiques. Il y a toutefois pris part en montrant une troisième voie : le culte d'une beauté qui est aussi une source de morale ; beauté révélée d'abord par la sensation et l'imagination, et confirmée ensuite comme une attitude morale. Comme le pensait à juste titre Marcel Proust, « le don spécial, pour Ruskin, c'était le sentiment de la beauté, dans la nature comme dans l'art. Ce fut dans la beauté que son tempérament le conduisit à chercher la réalité, et sa vie toute religieuse en reçut un emploi tout esthétique. Mais cette beauté à laquelle il se trouva ainsi consacrer sa vie ne fut pas conçue par lui comme un objet de jouissance fait pour la charmer, mais comme une réalité infiniment plus importante que la vie, pour laquelle il aurait donné la sienne. De là vous allez voir découler l'esthétique de Ruskin [3] ».

Le thème de la beauté conduit chez Ruskin à celui de la simplicité, du naturel et de l'authenticité. Tel est, depuis ses premières œuvres, le principe implicite d'une esthétique qui se confond avec une éthique. En d'autres termes, il existe un impératif moral (dont on ne peut nier ici les origines bibliques) qui se complète constamment avec un impératif esthétique, plus immédiat et plus

---

3. Marcel Proust, *Journées de lecture, op. cit.,* p. 76.

spontané. Dans la première partie de la vie de Ruskin, c'est pourtant cet impératif esthétique qui semblait dominer.

Fils d'un négociant d'origine écossaise, Ruskin fut initié très tôt à l'art. En 1832, à l'âge de treize ans, il reçoit comme cadeau d'anniversaire une édition illustrée de l'*Italie* de Samuel Rogers. Des années plus tard, il dira de cet événement : « Ce livre a été la première occasion qui m'a été donnée pour voir de près l'œuvre de Turner, et je peux, non sans raison, attribuer à ce cadeau la force d'avoir choisi la direction entière de ma vie [4]. » Ainsi, la vue des paysages de Turner ont réveillé en Ruskin cet amour de la nature qui existait déjà chez lui depuis sa prime enfance. Ruskin décrit cet amour enfantin de la nature comme « la racine de tout ce qu'il est devenu plus tard et la lumière qui lui a permis d'apprendre à juste titre les choses [5] ». Par la nature, Ruskin entendait les montagnes, les arbres, le ciel et la mer, autrement dit tout ce qui était une révélation directe de la gloire de Dieu et une expression simple de son verbe. Sur ce plan, il se voyait le successeur de William Wordsworth qui, par sa poésie romantique, décrivait les élans d'un enfant qui communiait avec le monde visible par « des extases confuses ». C'est à ce titre qu'on peut trouver sur la page de titre de chacun des cinq volumes de *Modern Painters (Les Peintres modernes)* (1843) de Ruskin, une citation de Wordsworth tirée de son poème « Excursion » :

*Accuse me not*
*of arrogance*
*If, having walked with nature,*
*And offered, far as frailty would allow,*
*my heart a daily sacrifice to Truth,*
*I now affirm of Nature and of truth,*
*whom I have seved, that their Divinity*
*Revolts, offended at the ways of men* [6].

---

4. John Ruskin, *Selected Writings,* Penguin Books, Londres, 1964, p. 25.
5. *Ibid.,* p. 21.
6. *Ibid.,* p. 85.

Dans ce poème de Wordsworth, les deux concepts de « nature » et de « vérité » *(Truth)* sont utilisés comme des significations équivalentes et interchangeables. La « vérité » à laquelle se référait Wordsworth était une vérité morale. Dans son « Ode sur l'immortalité » et ses « Ballades lyriques », il réclamait de la nature un enseignement moral. Or, Ruskin considère la nature comme un être moral. Il déduit ainsi les lois morales de ses observations de la nature et les applique par analogie à l'art et à la société. Par exemple, dans *Elements of Drawing,* il parle d'un « arbre socialisé » comme le symbole d'une vie juste et équitable. « La liberté de chaque feuille individuelle, écrit-il, est une vérité essentielle, autant que sa croissance en compagnie des autres feuilles [...] [7] »

De même, dans le volume V de *Modern Painters,* Ruskin parle du « caractère national et de l'unité fantastique des pins [8] ». C'est aussi par analogie à la vie des arbres que Ruskin tire son argument économique de l'entraide et de la solidarité. « Dans une plante, souligne-t-il, la suppression d'une seule partie va blesser le reste [...]. Si une partie entre dans un état qui ne peut plus participer au reste de la plante et devient ainsi "sans recours" on la dit morte. Le pouvoir qui pousse plusieurs parties de la plante à s'entraider s'appelle la vie [...]. L'intensité de la vie, c'est donc aussi l'intensité de l'entraide [...]. La cessation de cette aide est ce qu'on appelle la corruption [9]. » Ruskin considère la vie comme un mouvement divin et décrit la nature comme le langage visible de Dieu, et comme la beauté est l'empreinte de ce Dieu, il revient à l'artiste de la communiquer par son amour de la nature. C'est la raison pour laquelle, chez Ruskin, il n'existe de bonne architecture que par le désir de la beauté. Or, la bonne architecture, pour lui, est une architecture qui est d'essence religieuse, car, dit-il : « La bonne architecture est le travail

7. John Ruskin, *The Elements of Drawing,* Smith, Eldecand, Co., Londres, 1957, p. 161.
8. John Ruskin, *Selected Writings, op. cit.,* p. 93.
9. *Ibid.,* p. 109

des gens bons et croyants [10]. » Ce qui ne signifie nullement que la bonne architecture est le travail du clergé.

Ruskin avait une admiration sans borne pour l'architecture et la sculpture du Moyen Âge français, et pour l'architecture, la sculpture et la peinture du Moyen Âge italien. Nous trouvons des traces de cette admiration dans son livre *Les Sept Lampes de l'architecture,* où il cite quarante fois la cathédrale de Rouen et neuf fois celle de Bayeux. Les deux plus belles œuvres de l'art gothique étaient pour lui « la porte sud de la cathédrale de Florence et la porte nord de la cathédrale de Rouen ». L'amour du gothique réside dans l'essence morale de cet art puisque, selon lui, les bâtisseurs gothiques vénéraient la gloire de la création divine. En prenant cette attitude religieuse, nous dit Ruskin, ces bâtisseurs se mettaient en harmonie avec l'environnement naturel et les lois du monde. Ruskin admire l'art gothique à la fois pour son « naturalisme » et pour ses perspectives artistiques ouvertes vers l'infini, un art qui confesse les faiblesses de l'homme tout en honorant la perfection divine. Il y a donc une relation triangulaire entre l'art, la nature et Dieu. Et si l'art gothique est l'art par excellence, c'est parce qu'il est l'expression de l'amour de la nature et de la révélation divine, alors que l'architecture de la Renaissance nous éloigne de Dieu et de la nature, en plaçant l'homme au centre de sa perception artistique et scientifique.

Dans une lettre écrite le 22 février 1852 à son père, Ruskin déclare : « Aussi longtemps que le gothique et les autres architectures raffinées existaient, l'amour de la nature, qui était un trait essentiel et étrange du christianisme, y trouvait son expression et sa nourriture [...]. Mais dès que l'architecture païenne est revenue à la mode (dans la période de la Renaissance), cet amour de la nature ne pouvait plus trouver de nourriture, même s'il était encore vivant dans certains esprits, et il a fini par retrouver sa

10. John Ruskin, *The Crown of Wild Olive* dans *Unto this Last and other Writings, op. cit.,* p. 240.

place dans la peinture paysagiste et à voir le jour d'une manière progressive chez Turner [11]. »

Ruskin considère Turner comme un descendant direct de la tradition gothique. Il y a à cela plusieurs raisons. La plus importante, à ses yeux, c'est que Turner honore la nature autant que l'art gothique : « Turner est comme la nature et il peint la nature plus que quiconque [...] [12] » Turner est l'artiste qui a su « voir Dieu dans la nature » et exprimer les deux principes de la beauté et de la vérité. Un peintre qui, à la fois, exprime la réalité du monde et dévoile la vérité de l'univers. C'est pourquoi, dit Ruskin, Turner « peint en couleurs, mais pense en ombre et lumière [13] ». Sa force et sa nouveauté résident à la fois dans sa perception de la nature, dans sa manière de la peindre et surtout dans son utilisation des couleurs. « L'invention originale de Turner était la perfection de la couleur accordée par les moyens d'une couleur écarlate. Les autres peintres avaient utilisé des tons dorés ou bleus. Pour peindre le ciel, comme Titien par exemple, qui est le dernier peintre à l'avoir pratiqué d'une manière parfaite. Mais personne n'avait osé utiliser ou même simplement voir l'écarlate et le pourpre [14]. » Évidemment, pour Ruskin, ce n'est pas le langage technique de la peinture qui est important, mais l'idée qu'une peinture peut transmettre au spectateur. « La grandeur de l'œuvre d'un peintre ou d'un écrivain n'est pas déterminée par son mode de représentation ou sa façon de dire, mais par ce qui est représenté et ce qui est dit [15]. » Ruskin distingue entre le moyen et la fin dans l'art de la peinture. À ses yeux, elle n'est pas une imitation de la réalité. Au contraire, il faut savoir différencier le langage de la peinture de l'idée que le peintre a essayé d'exprimer. Un peintre doit nous apprendre à voir vraiment. C'est là aussi que Turner se démarque des autres

11. John Ruskin, *Selected Writings,* Everyman, Londres, 1995, p. 207, note 10.
12. *Ibid.,* p. 26.
13. *Ibid.,* Introduction, p. 3.
14. John Ruskin, *Selected Writings,* Penguin, *op. cit.,* p. 219.
15. John Ruskin, *Selected Writings,* Everyman, *op. cit.,* p. 3.

peintres, car il réussit « à produire un effet instantané par un simple coup de son pinceau [...] les moyens utilisés chez Turner plus que chez tout autre maître semblent être étonnamment inadéquats à l'effet produit [16] ».

Ruskin n'est donc pas à la recherche de la perfection dans l'art. Il considère même l'imperfection comme un signe de la vie. C'est la raison pour laquelle il souligne que « la demande de la perfection est toujours un signe de la mésentente des fins de l'art [...], l'imperfection est en quelque sorte essentielle à tout ce qui représente la vie. C'est un signe de la vie dans un corps mortel, qui est dans un état perpétuel de progrès et de changement [17] ». Pour Ruskin, le travail d'un peintre ne doit pas viser la perfection (parce qu'il ne peut rivaliser avec Dieu et la nature), mais être grand et noble du point de vue moral. Car « il n'existe pas un vice moral comme il n'existe pas une vertu morale, qui n'ait pas d'équivalent dans l'art de la peinture. Ce qui signifie que vous pourrez illustrer une habitude morale par l'art ou l'art par une habitude morale [18] ». Ruskin instaure une analogie entre l'art et la morale. Pour lui, l'art n'est pas une simple affaire de goût, car il représente aussi la moralité. « Le goût n'est pas uniquement une partie ou un index de la moralité, il est la seule et l'unique moralité [19]. » Mais conduire son goût, c'est une manière d'être moral. Donc tout ce qui est immoral est aussi de mauvais goût : « Le mauvais goût, dit-il, est le goût des diables [20]. » En revanche, « une peinture de Titien, une statue grecque, une pièce de monnaie grecque ou un paysage de Turner expriment le plaisir d'une perpétuelle contemplation d'une chose bonne et parfaite. C'est une qualité morale entière, c'est aussi le goût des anges [21]. » Ruskin va beaucoup plus loin en déclarant que les vices et les

---

16. John Ruskin, *Selected Writings*, Everyman, *op. cit.*, p. 4.
17. *Ibid.*, p. 203-204.
18. John Ruskin, *Selected Writings*, Penguin, *op. cit.*, p. 142.
19. John Ruskin, *Unto this Last and other Writings*, *op. cit.*, p. 234.
20. *Ibid.*, p. 235.
21. *Ibid.*, p. 235.

vertus des nations sont toujours inscrits dans leurs arts. De fait, l'architecture gothique est l'expression d'un esprit fondamentalement moral qui s'inscrit dans un élan de vénération et de dévotion envers Dieu et les formes de la nature. Mais cet esprit moral a été oublié et abandonné par l'arrogance de la raison de la période post-Renaissance qui ne représente plus l'artiste comme celui qui enregistre les instances de la nature, mais comme celui qui tente de les améliorer. En ce sens, Turner est bien celui qui retrouve cet esprit de dévotion et d'humilité présent chez les sculpteurs et les architectes de l'Europe médiévale.

Ruskin considère donc tout grand art comme une sorte de louange. Il est l'expression du plaisir que trouve l'âme humaine dans la contemplation de la nature ; pour produire une grande peinture, il faut être un passionné et un adorateur de la nature. Mais il faut aussi posséder une âme pleine de pureté et de noblesse morale. « Tout art, écrit Ruskin, est grand, bon et vrai. C'est un travail de l'homme mûr dans le vrai sens du terme, c'est-à-dire non pas le travail des doigts et des membres du corps, mais celui de l'âme [22]. » Le grand artiste est l'intermédiaire entre la nature et les individus ; il a pour tâche d'éduquer la faculté d'imagination des individus. Turner selon Ruskin est donc au plus haut point un éducateur esthétique de l'humanité. Or, comme nous l'avons noté, chez Ruskin, l'esthétique et l'éthique ne sont que les deux éléments d'un même ensemble. À ses yeux, apprendre la beauté, c'est apprendre à être bon dans la vie, car « il n'y a d'autre richesse que la vie [23] ». Nous trouvons là toute l'essence de la pensée de Ruskin. Elle est en fait le résultat logique de sa tentative pour établir un rapport entre l'art et la morale.

L'art et la morale sont les deux piliers de la pensée de Ruskin. À ces deux éléments s'ajoute aussi un troisième qui est l'économie. Autrement dit, la critique radicale de l'esprit de la

---

22. Cité dans Marshall Matter, *John Ruskin, his Life and Teaching,* Londres, 1903, p. 120.
23. John Ruskin, *Selected Writings,* Penguin, *op. cit.,* p. 273.

post-Renaissance chez Ruskin est en relation directe avec sa critique de l'économie politique anglaise. Cette critique est en grande partie formulée dans son célèbre ouvrage *Unto this Last*. L'ouvrage, un ensemble de quatre essais sur « Les premiers principes de l'économie politique », est publié pour la première fois en 1860, entre les mois d'août et novembre, dans le *Cornhill Magazine*. Ils ont suscité une telle tempête d'indignation parmi les lecteurs et dans la presse britannique que l'éditeur de ce périodique a décidé de refuser toute autre contribution de la part de Ruskin sur les mêmes thèmes. Le *Saturday Review* qualifie ces essais d'« hystéries venteuses » et d'« absurdités absolues ». Un éditorialiste du *Manchester Examiner* ira jusqu'à dire : « Si nous ne l'écrasons pas, ses mots sauvages toucheront certains cœurs, et avant que nous nous rendions compte, un barrage moral pourrait s'ouvrir et nous inonder tous [24]. »

L'ensemble des articles est publié en 1862. Dix ans après, les mille exemplaires d'*Unto this Last* étaient encore en vente. Mais la deuxième édition, parue en 1877, eut une autre destinée. En un an, deux mille exemplaires furent vendus. Et en 1907, à l'époque où Gandhi lit pour la première fois le livre de Ruskin, il était vendu à plus de 116 000 exemplaires dans le monde. Ruskin, en effet, est devenu célèbre à la fin de sa vie, à la fois comme critique d'art et comme économiste, et a eu une influence notable sur des penseurs, socialistes de la fin du XIXe siècle, sur William Morris par exemple. Enfin, Ruskin a été lu et suivi par des travaillistes anglais du début des siècle tel que Clement Atlee.

*Unto this Last* n'est pas le seul écrit économique de John Ruskin. Entre 1857 et 1871, Ruskin donne plusieurs traités sur l'éducation, le travail et l'économie politique. *Sesame and Lilies* (1865), *The Crown of Wild Olive* (1866), *Time and Tide* (1867) et *Fors Clavigera* (1871) sont les plus importants. Toutefois, Ruskin considérait *Unto this Last* comme son meilleur livre, celui « […] qui résistera le plus longuement et le plus sûrement parmi

---

24. John Ruskin, *Selected Writings,* Penguin, *op. cit.,* p. 265.

mes œuvres [25] », disait-il. La postérité lui a donné raison. Ce livre a fait de Ruskin, comme disait Proust, « un des plus grands écrivains de tous les temps et de tous les pays [26] ».

Le titre de l'ouvrage de Ruskin, *Unto this Last (Jusqu'au dernier)* se réfère à la parabole du vignoble dans les Évangiles (Matthieu, xx, 1-15) : « Car le royaume des cieux est semblable à un maître de maison qui sortit dès le matin, afin de louer des ouvriers pour sa vigne. Il convint avec eux d'un denier par jour, et il les envoya à sa vigne. Il sortit vers la troisième heure, et il en vit d'autres qui étaient sur la place sans rien faire. Il leur dit : Allez aussi à ma vigne, et je vous donnerai ce qui sera raisonnable. Et ils y allèrent. Il sortit de nouveau vers la sixième heure et vers la neuvième et il fit de même. Étant sorti vers la onzième heure, il en trouva d'autres qui étaient sur la place, et il leur dit : Pourquoi vous tenez-vous ici toute la journée sans rien faire ? Ils lui répondirent : C'est que personne ne nous a loués. – Allez aussi à ma vigne, leur dit-il. Quand le soir fut venu, le maître de la vigne dit à son intendant : Appelle les ouvriers, et paie-leur le salaire, en allant des derniers aux premiers. Ceux de la onzième heure vinrent, et reçurent chacun un denier. Les premiers vinrent ensuite, croyant recevoir davantage ; mais ils reçurent aussi chacun un denier. Et le recevant, ils murmurèrent contre le maître de la maison, et dirent : Ces derniers n'ont travaillé qu'une heure, et tu les traites à l'égal de nous, qui avons supporté la fatigue du jour et la chaleur. Il répondit à l'un d'eux : Moi aussi, je ne te fais pas tort ; n'es-tu pas convenu avec moi d'un denier ? Prends ce qui te revient, et va-t'en. Je veux donner à ce dernier autant qu'à toi [27]. »

Pour Ruskin, ce qui est important dans ce texte c'est la signification spirituelle de cette dernière phrase : « Je veux donner à ce dernier autant qu'à toi. » D'après Ruskin, il existe chez Jésus-

25. John Ruskin, *Selected Writings,* Penguin, *op. cit.,* p. 265.
26. Marcel Proust, *Journées de lecture, op. cit.,* p. 104.
27. *La Sainte Bible* (Nouveau Testament), traduit du grec par Louis Ségond, Paris, 1948, p. 24-25.

Christ un autre enseignement que l'enseignement religieux et moral. En imitant le Christ, Ruskin tente d'établir une relation entre l'économie et la morale, comme il le fait entre l'art et la morale. De fait, il faut lire *Unto this Last* comme une suite logique aux écrits esthétiques de Ruskin.

Ruskin reprend dans ce livre le thème de « l'entraide » qu'il avait déjà développé dans *Modern Painters*. « Mes principes de l'économie politique, écrit-il, ont été rassemblés dans une seule phrase dans le dernier volume de *Modern Painters* où il est dit : "Le gouvernement et la coopération sont, dans toutes les choses, les lois de la vie ; l'anarchie et la compétition sont dans toutes les choses, les lois de la mort. [28]" » Ainsi, Ruskin s'oppose aux trois grands traités de l'économie politique de son temps, c'est-à-dire aux *Principes d'économie politique* de David Ricardo, aux *Recherches sur la nature et les causes de la richesse des nations* d'Adam Smith, auxquels il ajoute les *Principes d'économie politique* de John Stuart Mill.

Ruskin considère les économistes politiques comme des astronomes qui étudient la lumière des étoiles sans parler de sa source ; ils parlent de la richesse sans connaître la vie qui est la seule et la vraie richesse. « Ainsi, écrit Ruskin, l'économie politique étant une science de la richesse, elle doit être une science respectant les capacités et les dispositions humaines. Mais les considérations morales n'ont rien à voir avec l'économie politique [29]. » L'économie politique est une science qui doit s'occuper de la richesse de la communauté, et ne peut traiter uniquement de la richesse des commerçants, car elle n'est pas « la science de devenir riche ». Ruskin ne pense pas que l'inégalité des richesses joue en faveur de la santé économique d'un pays. Contre la morale utilitariste qui considère que l'utile, ou ce qui peut apporter le plus grand bonheur, doit être le principe suprême de l'action, Ruskin affirme que le pays le plus riche est celui qui arrive à nour-

28. John Ruskin, *Unto this Last, op. cit.,* p. 202.
29. *Ibid.,* p. 207.

rir le plus grand nombre d'êtres nobles et heureux ; l'économie est le domaine où se pose la question de la justice. Or, d'après lui, la justice est la reconnaissance du besoin de chacun, c'est-à-dire la responsabilité réciproque de l'employeur et de l'employé dans le rapport économique. Ruskin oppose donc l'idée de coopération économique aux deux idées de la concurrence et du libre-échange élaborées par Adam Smith comme les principes fondamentaux de l'économie politique. Il s'oppose aussi avec force à l'idée smithienne de la division du travail comme élément moteur d'accroissement de la production et de développement de l'industrie. À ce propos, il écrit : « Nous avons tant étudié et élaboré la grande invention civilisée de la division du travail, mais en fait nous la considérons sous un faux nom. En vérité, ce n'est pas le travail qui est divisé, mais les hommes […] [30] » Ruskin établit ainsi une relation directe entre le travail et la vie en introduisant un troisième concept, celui de la consommation. « La question qui est posée à la nation, dit-il, n'est pas celle de savoir à combien de personnes elle donne du travail, mais combien de vie elle produit. Car de même que la consommation est la fin et le but de la production, de même la vie est la fin et le but de la consommation [31]. » Il est dès lors impossible de considérer le capital comme la racine d'un arbre qui est l'économie politique, en négligeant ses fruits, c'est-à-dire la consommation. Car la fin de la richesse n'est pas la richesse elle-même, mais la consommation. La consommation, nous dit Ruskin, le comprend comme une responsabilité morale à l'égard du travail, car le consommateur, en choisissant un produit plutôt qu'un autre, crée de la richesse pour les travailleurs qui sont à l'origine de sa production. Mais l'objet de l'économie politique n'est pas l'accroissement indéfini du confort des individus. Car cet accroissement, déraisonnable, peut mettre en danger la vie économique des travailleurs L'économie politique a donc pour tâche de maintenir la cohésion d'une

---

30. John Ruskin, *Selected Writings,* Penguin, *op. cit.,* p. 283.
31. John Ruskin, *Unto this Last, op. cit.,* p. 221-222.

société en préservant une vie saine et heureuse pour tous ses membres. Ce qui, aux yeux de Ruskin, paraît une chose impossible tant que l'esprit d'entraide et de coopération ne remplace pas celui de l'égoïsme et de l'individualisme.

À l'opposé d'Adam Smith, Ruskin ne croit pas à la convergence des intérêts individuels vers l'intérêt général. Dans son essai *Time and Tide,* il revient sur cette idée en affirmant : « Quand j'utilise le mot "coopération", je ne me réfère pas à la constitution de nouvelles compagnies. J'utilise ce mot dans un sens un peu plus large en l'opposant non pas à l'idée de maîtrise, mais de compétition [32]. » Ruskin exprime clairement le sens de l'alternative socio-économique qu'il propose à la société victorienne de son temps, contre les doctrines libérales. « Car, dit-il, l'alternative, en réalité, n'est pas seulement entre deux modes de conduite d'une affaire, mais entre deux états différents de société. [33] » Ainsi, en se fondant sur la politique des Évangiles, Ruskin prêche pour une société où l'honnêteté et le respect de l'autre remplacent l'égoïsme et l'avidité. « Vous auriez dû voir, écrit-il, depuis longtemps déjà que la différence essentielle entre l'économie politique que j'essaie d'enseigner et la science populaire, c'est que la mienne est fondée sur une "honnêteté vraisemblablement accessible" chez les hommes, et sur un respect, chez eux, pour l'intérêt des autres, tandis que la science populaire est fondée sur le regard constant des hommes à l'égard d'eux-mêmes et sur leur honnêteté aussi longtemps qu'ils sont en sécurité [34]. » Rendre les hommes honnêtes et vertueux, c'est la définition d'une vraie éducation sociale chez Ruskin. « … Faire de vos enfants, des êtres capables d'honnêteté, c'est cela le début de l'éducation. Éduquez-les comme des hommes d'abord et comme des hommes religieux ensuite [35]. »

---

32. John Ruskin, *Time and Tide,* Oxford University Press, Oxford, 1928, p. 17.
33. *Ibid.,* p. 16.
34. *Ibid.,* p. 44.
35. *Ibid.,* p. 45.

Le concept de l'*Homo economicus,* pour Ruskin, est donc une abstraction révoltante, car les hommes, selon lui, ne sont pas faits pour le désir du gain, mais pour l'espoir et l'amour. Il faut donc chercher à créer un système sociopolitique qui cultive des hommes honnêtes, plutôt que des voleurs et des vagabonds, puisqu'une fois encore, la vraie richesse, c'est la vie. Et il n'y a respect de la vie que par l'amour de la beauté et de la vérité. « Continuez, écrit-il, à faire de cette divinité interdite votre seul et unique principe, et bientôt il n'y aura plus d'art, plus de science et plus de plaisir [...]. Mais si vous pouvez trouver une certaine conception d'un vrai état de vie humain, qui a pour but la vie et le bien pour tous les hommes au même titre que pour vous-mêmes, si vous pouvez déterminer une existence simple et honnête [...] et si vous sanctifiez la richesse en une "richesse commune", tout votre art, votre littérature, votre travail journalier, votre affection domestique et votre devoir du citoyen s'intensifieront en une harmonie magnifique [36]. »

En lisant ces paroles prophétiques de John Ruskin, on peut comprendre l'écho immédiat et l'influence qu'elles ont pu avoir sur le jeune Gandhi qui était alors à la recherche d'une expérience communautaire simple mais honnête en Afrique du Sud.

Il venait de découvrir sa philosophie du *Sarvodaya.*

---

36. John Ruskin, *Unto this Last and other Writings, op. cit.,* p. 249.

## Chapitre III

# La pensée gandhienne du Sarvodaya

Parmi les écrivains qui ont bouleversé la vie de Mahatma Gandhi, John Ruskin occupe une place à part. Les trois enseignements majeurs que Gandhi a tirés de la lecture de *Unto this Last* en Afrique du Sud en 1904 se résumaient ainsi :

1) Le bien de chacun est le bien de tous.

2) Le travail d'un avocat ne vaut ni plus ni moins que celui d'un barbier.

3) Une vie de labeur est le travail le plus valable.

Gandhi exprimera à nouveau en 1946 sa profonde admiration pour Ruskin : l'humanité doit progresser et réaliser l'idéal de l'égalité et de la fraternité, elle doit adopter et agir selon les principes de *Unto this Last,* un livre écrit avec le sang et les larmes [1]. »

Gandhi n'a pas vraiment traduit ce livre, mais il l'a paraphrasé en goujrati en 1908 sous le titre *Sarvodaya.* Ce livre a été retraduit en anglais en 1951 par V. G. Desai.

*Sarvodaya* est le nom qui est donné aujourd'hui aux idées sociopolitiques et économiques de Gandhi. Il signifie le « bien de tous ». Littéralement, *Sarvodaya* est un concept composé de deux mots sanskrits : *Sarva* qui signifie « tous », et *udaya* qui veut dire l'éveil et le développement ; *Sarvodaya* signifie l'émancipation et

---

1. Cité par Mark Lutz, « Human Nature in Gandhian Economics : The Case of Ahimsa or "Social Affection", dans *Essays in Gandhian Economics,* Gandhi Peace Foundation, New Delhi, 1985, p. 47, note 18.

l'élévation morale et spirituelle de tous. Ainsi, l'idée du « bien de tous » est contenue dans ce concept. Comme le disait Vinoba Bhave, un grand pèlerin indien de la non-violence après la mort de Gandhi, la traduction propre de *Unto this Last* serait *antyodaya,* c'est-à-dire l'« élévation du dernier » plutôt que Sarvodaya [2]. Mais Gandhi a utilisé volontairement ce mot pour insister une fois de plus, à la suite de Ruskin, sur cette idée simple mais profonde que le bien de l'individu est inconcevable sans le bien de tous. Car, pour Gandhi, le bonheur de la majorité des gens ne doit pas sacrifier à celui d'une minorité. C'est la raison pour laquelle dans l'introduction de sa paraphrase du livre de Ruskin, il écrit : « Les gens en Occident considèrent généralement que le devoir total de l'homme c'est de promouvoir le bonheur de la majorité de l'humanité, et le bonheur signifie seulement le bonheur physique et la prospérité économique [...] or, puisque l'objet à atteindre est le bonheur de la majorité, les Occidentaux ne pensent pas que c'est un mal d'avoir une sécurité en sacrifiant une minorité [3]. » C'est bien là l'opposition de Gandhi à l'utilitarisme classique de John Stuart Mill et de Jeremy Bentham. Des années plus tard, il affirmera clairement dans son *Young India* (9 janvier 1926) qu'« un fervent de l'*ahimsa* ne peut accepter la formule utilitaire [4] ». Ainsi l'objectif principal de la philosophie du *Sarvodaya* n'est pas tant le bien d'un groupe particulier que celui de tous et de chacun. Cette thèse est reprise et développée dans la pensée de Gandhi à travers l'idée de l'égalité économique, très proche de la définition socialiste qui se résume en une phrase : « À chacun selon ses besoins. » Pour Gandhi, l'égalité économique signifie que chacun doit avoir assez selon ses besoins naturels, mais il entend aussi, par égalité économique, celle des salaires pour tous les emplois. C'est la raison pour laquelle il

---

2. Cité dans K. S. Bharathi, *The Philosophy of Sarvodaya,* Indus Publishing Company, New Delhi, 1990, p. 26.
3. M. K. Gandhi, *Unto this Last* (A Paraphrase), Navajivan Publishing House, Ahmedâbâd, 1956, p. 1.
4. Cité dans *The Philosophy of Sarvodaya, op. cit.,* p. 41.

affirme : « Tous les *bhangis,* médecins, avocats, enseignants, commerçants et d'autres, recevront le même salaire pour un travail journalier honnête [5]. » Gandhi est un disciple de Ruskin, mais sur ce plan, sa position diffère quelque peu. Car, pour Ruskin l'égalité absolue est une chose impossible dans la sphère de l'économie, puisque « les inégalités des richesses seront toujours là ». De fait, il est à l'opposé de Gandhi qui ne croit pas à la supériorité d'un homme sur un autre, tandis que lui affirme clairement que son but a toujours été « de montrer l'éternelle supériorité de quelques hommes sur d'autres, et même celle d'un seul homme sur d'autres ; et de montrer aussi l'opportunité de choisir une telle personne comme guide, pour conduire et même à certaines occasions pour contraindre et assujettir ses inférieurs en accord avec sa volonté de sage et sa meilleure connaissance [6] ». Ruskin, on le devine, n'a pas une idée très positive de la démocratie. Selon lui, c'est à l'État que revient la tâche principale de contrôler les moyens de production et de distribution pour organiser le bien de la communauté. Chez Gandhi, c'est tout le contraire. Sa vision économico-politique est fondée sur un système décentralisé, où les décisions sont prises par des micro-unités, ce qu'il appelle les « communautés de villages ». Le modèle gandhien de l'organisation de la société est, par essence, un modèle non hiérarchique. « Dans cette structure composée d'innombrables villages, écrit-il, il y aura des cercles de plus en plus larges qui ne s'élèveront jamais. La vie ne sera pas une pyramide avec un sommet soutenu par la base. Mais il y aura un cercle « océanique » qui aura pour centre l'individu, toujours prêt à se sacrifier pour le village, qui, de son côté, est prêt à se sacrifier pour le cercle des villages, jusqu'à ce que le tout devienne une seule vie composée d'individus, qui ne seront pas isolés dans leur arrogance, mais qui seront des êtres humbles

---

5. Cité dans *The Philosophy of Sarvodaya, op. cit.,* p. 102.
6. Cité dans Z. Hasan, *Gandhi and Ruskin,* Shree Publishing House, New Delhi, 1980, p. 81.

partageant la majesté du cercle « océanique » comme ses unités intégrales. Par conséquent, la circonférence extérieure n'aura pas le pouvoir d'écraser le cercle intérieur, mais au contraire donnera de la force à tous ceux qui sont à l'intérieur de ce cercle et prendra sa propre force d'eux [7]. »

Le modèle économique de Gandhi repose sur les communautés des villages conçues comme des unités économiques de base ; elles ont la responsabilité d'acquérir l'égalité économique tout en restant autarciques. Or, cette autarcie économique doit être atteinte grâce à une politique de planification à laquelle participent tous les membres de la communauté. En d'autres termes, la seule et unique manière d'arriver à une société fondée sur la non-violence est sous-tendue par la vie communautaire dans les villages. « L'indépendance, écrit Gandhi, doit commencer à la base. Ainsi, chaque village sera une république ou un *panchayat* qui aura le pouvoir total. À la suite de quoi, chaque village doit être autarcique et capable de diriger ses propres affaires même jusqu'à défendre son unité contre le monde entier [...] une telle société est nécessairement hautement cultivée, car chaque homme et femme qui y vit sait ce qu'il ou elle désire [...] et sait aussi que personne ne désire quelque chose que l'autre n'arrive pas à obtenir avec un travail égal [8]. » Dans la pensée politique de Gandhi, la structure non violente de la société nécessite un système décentralisé du pouvoir. Gandhi cherche à limiter et même à dévaluer le pouvoir politique de l'État, pour essayer de reconstruire un nouveau modèle de société. Il ne croit guère à une démocratie dans laquelle les citoyens sont soumis aux lois de l'État. La véritable démocratie est une démocratie participative où les décisions sont prises par le bas et non par le haut. « Ma conception de la démocratie, écrit-il, c'est un système dans lequel le plus faible doit avoir la même possibilité que le plus fort [...] la vraie démocratie ne peut pas fonctionner avec vingt hommes

7. M. K. Gandhi, *India of my Dreams,* Navajivan Publishing House, Ahmedâbâd, 1947, p. 100.
8. *Ibid.,* p. 99.

assis au milieu. Elle doit fonctionner d'en bas avec la participation des gens de chaque village [9]. » Et l'important à l'époque, c'est que les Indiens apprennent à se diriger et à refuser toute sorte de tyrannie, qu'elle soit anglaise ou indienne ; ils ne gagneraient rien à remplacer la domination britannique par un autoritarisme de type indien. Il dépend donc des Indiens eux-mêmes de participer directement à la gestion de leurs propres affaires. Une relation étroite existe dans la pensée politique de Gandhi entre la non-coopération avec les lois injustes du colonialisme britannique et la coopération entre Indiens au sein d'un « programme constructif ». « Le corps de la non-violence se disloque, dit-il, s'il n'y a pas une foi vivante en un programme constructif [10]. » Par « programme constructif », Gandhi entend essentiellement un projet de réformes sociales nécessitant l'abolition de l'intouchabilité, l'unité entre les hindous et les musulmans, le progrès pour les femmes, la promotion des produits indiens comme le *khadi,* et l'hygiène et l'éducation pour les villages. Ce qui entraîne, une fois encore, que la base économique de la lutte non violente est aux yeux de Gandhi l'autonomie du village. Par ailleurs, l'égalisation de la distribution va de pair avec la localisation de la production. En d'autres termes, toute indépendance économique exige la coopération, l'effort de la créativité, et la dignité et le respect de la personne humaine.

La loi morale, qui est au centre de la pensée économique de Gandhi et qui préconise le respect de la dignité humaine, est exprimée, simplement, par la formule du « pain gagné à la sueur du front ». Dans son *Autobiographie,* Gandhi déclare qu'il a découvert cette idée dans le livre de Ruskin bien que cette idée n'apparaisse pas dans *Unto this Last.* En revanche, elle est mentionnée dans une citation de la Bible, reprise par Ruskin, dans *The Crown of Wild Olive.* Cette citation est tirée de Genèse III, 19 où il est écrit : « C'est

---

9. M. K. Gandhi, *India of my Dreams, op. cit.,* p. 17, 19.
10. Cité dans Suzanne Lassier, *Gandhi et la non-violence, op. cit.,* p. 170.

à la sueur de ton visage que tu mangeras du pain, jusqu'à ce que tu retournes dans la terre [11]. » Une idée citée une autre fois par Ruskin dans un autre livre, *Fors Clavigera*. Gandhi connaissait certainement ces deux autres titres de Ruskin, mais il ne les mentionne nulle part. En reprenant à son compte ce « commandement » biblique, il le complète avec deux autres principes : celui du *charka* (le rouet) et celui du *khadi*. Le rouet est, chez Gandhi, le symbole de l'unité indienne et de la conquête de la liberté face à la domination britannique. Il permet de tisser le *khadi,* que Gandhi instaure en symbole de la fraternité, de l'égalité et de la simplicité. S'habillant lui-même d'un simple *khadi,* consacrant chaque jour une partie de son temps à filer au rouet, Gandhi donne l'exemple à la fois de sa non-coopération avec les Britanniques et de son combat pour l'industrie villageoise.

Par ailleurs, l'accent mis par Ruskin sur l'épanouissement de l'homme dans une vie simple, où le travail aurait pour but d'apporter le bonheur, permettra à Gandhi de développer plus tard l'idée que le bien de l'individu et celui de la communauté ne sont en aucune manière contradictoires ; l'axe central de toute vie communautaire est la solidarité entre les individus qui doivent consacrer toute leur énergie en vue d'assurer le bien public, sans oublier de défendre leur autonomie individuelle. Il y a donc un lien étroit entre l'idéal gandhien de la justice sociale et la politique de la non-violence.

La pensée de la non-violence chez Gandhi ne va pas, nous l'avons noté, sans une critique radicale de l'État. « L'État, écrit Gandhi, représente la violence sous sa forme intensifiée et organisée. L'individu a une âme, mais l'État, qui est une machine sans âme, ne peut être soustrait à la violence puisque c'est à elle qu'il doit son existence [12]. » La cohésion de la société, selon Gandhi, repose sur la prise de conscience des citoyens car ils sont les artisans de leur propre destinée ; mais pour lui, l'État est une machine

---

11. *La Sainte Bible, op. cit.,* p. 3.
12. M. K. Gandhi, *Tous les hommes sont frères, op. cit.,* p. 246.

sans âme qui ne prend pas en compte la responsabilité individuelle. En d'autres termes, Gandhi considère l'État comme une
institution qui met en danger l'essence morale de l'homme ; au
lieu de laisser aux citoyens la liberté de décider de leur destinée,
il prend l'initiative de choisir à leur place. Ainsi, au fil du temps,
les citoyens deviennent incapables de diriger leurs affaires
communes sans l'intervention de l'État qui, opposé à la diversité
et à l'ouverture d'esprit des citoyens, utilise sa violence d'une
manière cachée et invisible pour garder les individus sous sa
domination.

Pour toutes ces raisons, Gandhi considère la coexistence entre
les hommes et l'État comme une chose impossible. Car, dit-il,
« l'État représente la violence sous une forme organisée et
concentrée. L'individu a une âme, mais puisque l'État est une
machine sans âme, il ne peut jamais être détaché de la violence à
laquelle il doit son existence. Ce que je désapprouve est une organisation fondée sur la force, et c'est justement le cas de l'État [13]. »

Gandhi, critique de la violence de l'État, fait appel à l'idée
d'« anarchie éclairée », qui est une situation politique dans
laquelle les citoyens profitent du maximum de liberté avec un
minimum d'ordre étatique. « Dans un tel pays, écrit-il, chacun
serait son propre maître. Il se dirigerait de façon à ne jamais gêner
son voisin [14]. » Pour cette raison, Gandhi accorde une place
importante à la responsabilité morale du citoyen, puique c'est à
lui que revient la tâche morale de rester loyal à l'égard de l'État,
ou de rejeter et désobéir à ses lois. « Chaque citoyen, souligne-t-
il, est responsable pour chaque action de son gouvernement et il
est normal de le soutenir aussi longtemps que ses actions sont
supportables. Mais quand elles blessent le citoyen ou la nation,
c'est son devoir de lui retirer son soutien [15]. » La désobéissance
aux lois injustes d'un État est comme un devoir moral et juste.

---

13. M. K. Gandhi, *India of my Dreams, op. cit.,* p. 80.
14. M. K. Gandhi, *Tous les hommes sont frères, op. cit.,* p. 238.
15. Cité dans Bhikhu Parekh, *Gandhi's Political Philosophy,* Ajanta
Publications, New Delhi, 1989, p. 125.

« La désobéissance civile, affirme-t-il, est le droit imprescriptible de tout citoyen. Il ne saurait y renoncer sans cesser d'être un homme […] ce serait vouloir emprisonner la conscience que de faire cesser la désobéissance civile [16]. » Désobéir à la violence de l'État moderne, est la vertu cardinale du citoyen moderne.

Pour réussir dans cette tâche, il faut, selon Gandhi, combattre la rationalité économique moderne qui provoque cette violence ; de fait, il s'inquiète de la manière par laquelle le processus d'industrialisation excessive et rapide peut exploiter le système économique des villages. À ce propos, il cherche une alternative pour éviter la concurrence inégale entre les villes et les villages.

S'inspirant alors des travaux de Ruskin, Gandhi remplace le concept de « compétition » par celui de « coopération ». Pour lui, la compétition est créatrice de violence, de peur et de cupidité, alors que la coopération volontaire entre les citoyens produit la véritable liberté et un nouvel ordre économique égalitaire. Mais la coopération non violente implique la non-possession non violente. Gandhi écrit à ce propos : « Le moins vous possédez, le moins vous désirez, le mieux vous êtes. Mais être mieux pour quoi faire ? Pas pour le plaisir de la vie, mais pour le plaisir de servir les autres êtres humains, un service que vous rendez à vous-même, à votre corps, à votre esprit et à votre âme [17]. » C'est à ce point que Gandhi propose sa théorie du *trusteeship* (fidéicommissaire), qui reflète bien son effort pour spiritualiser l'économie.

Dans son *Autobiographie*, Gandhi fait état, à propos de cette théorie, de l'influence de la *Gîtâ*. « À la lumière de l'enseignement de la *Gîtâ*, écrit-il, le sens profond du terme de "fidéicommissaire" s'éclaire plus nettement pour moi […]. Je compris que la leçon de non-possession que donnait la *Gîtâ* signifiait que ceux qui aspiraient au salut devaient agir à l'exemple des fidéicommissaires qui, tout en ayant le contrôle de biens considérables, se gardent d'en considérer la moindre parcelle comme leur

16. M. K. Gandhi, *Tous les hommes sont frères, op. cit.*, p. 235-236.
17. M. K. Gandhi, *Collected Works*, vol. VI, *op. cit.*, p. 328-329.

propriété. Il m'apparut, clair comme le jour, que la non-possession et l'égalité d'âme présupposeraient un changement profond
du cœur, un changement d'attitude [18]. » Ce changement d'attitude
est aussi proposé par Ruskin dans la partie intitulée « Ad valo-
rem » de son livre *Unto this Last*. S'opposant à l'idée socialiste de
la division de la propriété, Ruskin écrit : « [...] la division de la
propriété, c'est sa destruction, et, avec elle, la destruction de tout
espoir, de toute industrie et de toute justice, c'est tout simplement
le chaos [...]. Le socialiste voyant un homme fort oppressant un
faible crie : "Cassez ses bras, mais apprenez-lui à les utiliser pour
une meilleure cause [19]." » Gandhi insiste de la même manière que
Ruskin sur l'idée que l'industrialisation capitaliste est à l'origine
de la pauvreté des pauvres et de la richesse des riches. Mais,
pour lui, l'objectif du *trusteeship* est de détruire le capitalisme et
non le capitaliste.

Le principe de l'économie gandhienne a pour objectif d'égaliser la distribution en contribuant à la satisfaction des besoins
essentiels. Pour Gandhi, posséder plus que ce qui nous est strictement nécessaire est un manque de responsabilité, à la fois envers
Dieu et envers la communauté. C'est donc à ses yeux un vol.
« C'est un vol, écrit-il, de prendre quelque chose appartenant à
autrui, même avec la permission du propriétaire, lorsqu'on n'en a
pas vraiment besoin. Ce genre de vol porte surtout sur les aliments.
Si je mange un fruit dont je n'ai pas besoin, ou si j'en prends plus
qu'il ne m'est nécessaire, je commets un vol. On ne connaît pas
toujours ses besoins réels, et la plupart d'entre nous multiplient
leurs besoins sans justification ; ainsi nous faisons inconsciem-
ment de nous des voleurs. Si nous nous donnons la peine d'y
réfléchir, nous verrons que nous pouvons éliminer quantité de nos
besoins actuels. Celui qui observe la règle de l'abstention de vol
réduira progressivement les siens [...] celui qui observe la règle de
l'abstention de vol refusera de se préoccuper de ce qu'il peut

18. M. K. Gandhi, *Autobiographie, op. cit.*, p. 335.
19. John Ruskin, *Unto this Last, op. cit.*, p. 223, note.

acquérir dans l'avenir. Cette inquiétude néfaste de l'avenir se trouve à l'origine de beaucoup de vols. Aujourd'hui, nous ne faisons que désirer une chose, mais demain nous commencerons à prendre des mesures, honnêtes si possible, malhonnêtes si nécessaire, pour posséder cette chose [20]. »

Il conviendra à ceux qui veulent atteindre cet état de non-possession de faire un vœu de pauvreté volontaire, car pour disposer de tout, il faut ne posséder rien. Or, si Gandhi refuse à lui-même le droit de posséder une propriété privée, il ne projette pourtant pas l'idée d'un monde dans lequel la propriété privée serait totalement détruite. Cependant, il s'élève contre les excès de la propriété privée, et se dit en faveur d'une coopération équitable et honorable entre les riches et les pauvres, étant suffisamment pragmatique pour comprendre que les riches n'accepteraient jamais d'abandonner leurs richesses. « La renonciation complète des possessions d'un individu, dit-il, est une chose dont un très petit nombre de gens ordinaires sont capables. Tout ce qui peut être attendu de la classe riche, c'est qu'elle place ses richesses et ses talents dans un *trust* et de les utiliser au service de la société. Demander plus, c'est tuer la poule aux œufs d'or [21]. » Ainsi, à l'opposé des marxistes, Gandhi refuse d'employer la violence à l'égard des riches pour instaurer une économie équitable, et applique le principe de la non-violence à toutes les classes sociales. C'est aussi la raison pour laquelle il fait une distinction entre le système capitaliste et les capitalistes.

Pour lui, les capitalistes ne sont pas de grands méchants vampires qui sucent le sang des travailleurs, mais des gens simples qui sont eux-mêmes prisonniers du système capitaliste. Les capitalistes et les travailleurs font partie de la même réalité. Il faut que les travailleurs persuadent les capitalistes d'égaliser la distribution des richesses par des campagnes de non-coopération, et ce n'est que de cette manière que les riches et les pauvres arri-

---

20. Cité dans *Ce que Gandhi a vraiment dit, op. cit.*, p. 188-190.
21. M. K. Gandhi, *Tous les hommes sont frères, op. cit.*, p. 137.

veront à la dignité et au respect de soi. On voit que Gandhi propose une véritable philosophie du travail qui améliore la qualité de vie des gens ordinaires sans tenter de les déshumaniser, d'où l'idée de la décentralisation de l'Inde, et le refus d'une industrialisation rapide et non réfléchie.

Il faut, cela avancé, éviter tout préjugé à l'égard de l'attitude gandhienne concernant le machinisme et l'industrialisation. Gandhi n'est ni hostile à la machine en général, ni défavorable à l'industrie en particulier. Quand on le questionne sur son opposition à la machine, Gandhi répond en souriant : « Comment cela serait-il possible alors que je sais que même mon corps est une machine extrêmement délicate ? Le rouet lui-même est une machine ; un petit cure-dents est une machine. Ce contre quoi je proteste, ce n'est pas contre les machines, mais contre le désir fou d'avoir des machines. Ce que l'on désire ainsi follement, c'est ce qu'on appelle des machines pour économiser de la main-d'œuvre. On continue à économiser de la main-d'œuvre jusqu'à ce que des milliers de gens chôment et soient jetés à la rue pour y mourir de faim [...]. Je veux que la richesse soit concentrée non pas dans les mains de quelques-uns, mais dans les mains de tous. Aujourd'hui les machines servent simplement à aider quelques individus à s'engraisser aux dépens de millions d'êtres humains. Ce qui pousse à rechercher cette économie de main-d'œuvre, ce n'est pas la philanthropie, mais la soif de s'enrichir. C'est cet état de choses que je combats de toutes mes forces [22]. » Gandhi n'est donc pas contre la machine, mais contre les abus du machinisme qui réduirait les hommes en esclaves. La machine est donc une chose favorable, tant qu'elle n'atrophie pas les bras de l'homme ; ce qui justifie son approbation de l'usage de la machine à coudre et son choix d'une politique industrielle humaniste. Voici ce qu'il écrit à ce propos dans *Young India* (17 décembre 1925) : « Une politique industrielle humanitaire pour l'Inde signifie, selon moi, le renouveau glorieux du tissage à la main, car c'est uniquement à

---

22. Cité dans *Ce que Gandhi a vraiment dit, op. cit.*, p. 117-118.

travers cette industrie que le paupérisme, qui détruit la vie de millions d'êtres humains dans leurs propres villages dans ce pays, peut être dissipé. Toutes les autres choses en dépendent, y compris la croissance de la capacité productive de ce pays [...] [23] » Une position décisive dans la trajectoire de Gandhi, mais qui doit tenir compte de son évolution depuis ses années de jeunesse en Afrique du Sud jusqu'aux années vingt en Inde. Dans son livre *Mahatma Gandhi, Nonviolent Power in Action*, Dennis Dalton remarque : « Même si Gandhi n'a jamais explicitement renoncé aux parties constituantes de *Hind Swaraj*, il a modifié plus tard son jugement concernant la civilisation occidentale moderne, la démocratie parlementaire et la technologie moderne [24]. » Écrit en moins de dix jours en goujrati en 1909, *Hind Swaraj* est plus un pamphlet polémique qu'un traité philosophique. Il souffre donc d'un grand nombre de lacunes. Mais c'est un écrit qui développe plus ou moins la plupart des idées mères de la pensée gandhienne, idées qui seront développées plus tard dans son combat pour l'indépendance de l'Inde. Gandhi dira quels étaient les objectifs exprimés dans *Hind Swaraj* : « Il a été écrit pour répondre à l'école indienne de la violence [...] et son prototype en Afrique du Sud. Je suis entré en contact avec tous les anarchistes indiens connus à Londres. Leur courage m'a impressionné, mais j'ai senti que leur zèle était abusé. J'ai senti que la violence n'était pas un remède pour les maux de l'Inde, et que la civilisation indienne demandait l'utilisation d'une arme différente et plus noble pour son autoprotection [...] *Hind Swaraj* enseigne l'évangile de l'amour à la place de celui de la haine. Il remplace la violence par le sacrifice de soi [25]. » *Hind Swaraj* est un livre qui a été écrit sous l'influence des pensées de Thoreau, Ruskin et Tolstoï, mais le

---

23. M. K. Gandhi, *Socialism of my Conception,* Bharatiya Vidya Bhavan, Bombay, 1966, p. 164.
24. Dennis Dalton, *Mahatma Gandhi, Nonviolent Power in Action,* Columbia University Press, New York, 1993, p. 21.
25. M. K. Gandhi, *Collected Works,* vol. XIX, *op. cit.,* p. 277.

dernier des trois est à l'origine de la rédaction de ce livre. Il ne faut pas oublier que toute la période sud-africaine de Gandhi est influencée par la pensée de Tolstoï, dont Gandhi dira plus tard qu'il « est le plus grand apôtre de la non-violence que notre époque ait connu. Personne en Occident, ni avant ni après lui, n'a écrit et parlé au sujet de la non-violence avec autant de plénitude et d'insistance, de pénétration et de perspicacité […] [26] » Ce jugement de Gandhi traduit sa dette envers Tolstoï, dont l'influence est plus forte encore que celle de Ruskin et de Thoreau.

26. D. G. Tendulkar, *Mahatma*, vol. 2, *op. cit.,* p. 317-318.

*Troisième partie*

# Léon Tolstoï

« Gandhi occupe une place exception-
nelle dans l'histoire politique. Il a mis
au point une technique de lutte pour
l'indépendance tout à fait nouvelle et
humaine… L'influence morale qu'il a
exercée sur les peuples du monde civilisé
pourrait durer plus longtemps qu'on ne
semble le penser aujourd'hui, dans notre
époque caractérisée par une force si
brutale. Car les travaux des hommes
d'État ne dureront que s'ils suscitent et
consolident, par leur propre exemple, les
forces morales de leurs peuples. »

Albert EINSTEIN

## Chapitre I

## *Gandhi et Tolstoï : une correspondance*

Parmi les penseurs occidentaux qui ont influencé la pensée de Gandhi, Léon Tolstoï occupe sans aucun doute la première place. Comme le précise à juste titre Olivier Clément, « l'influence de Tolstoï, d'une manière générale, permit à Gandhi de dégager du mythe et de la gnose les grandes intuitions éthiques et spirituelles de l'hindouisme [1]. » Étudiant à Londres, Gandhi a eu ses premiers contacts sérieux et intellectuels avec l'hindouisme à travers la lecture du livre de sir Edwin Arnold, *The Light of Asia* et l'étude de la *Bhagavad-Gîtâ*. C'est à cette époque qu'il se mit à fréquenter les milieux végétariens de Londres et fit la connaissance d'Annie Besant et de Mme Blavatsky à la Société théosophique. Mais c'est surtout la lecture du Nouveau Testament et notamment le passage du « Sermon sur la montagne » qui produisit sur lui une grande impression.

À l'opposé de l'Ancien Testament qui déplut profondément à Gandhi, l'Évangile de Matthieu toucha son cœur. « Je le comparai avec la *Gîtâ*. Les versets : "Et moi je vous dis de ne point résister à celui qui vous maltraite ; au contraire, si quelqu'un vous frappe sur la joue droite, présentez-lui l'autre. Si quelqu'un veut plaider contre vous pour prendre votre robe, abandonnez-lui encore votre manteau" me ravirent au-delà de toute mesure [...]

---

1. Olivier Clément, « Tolstoï et Gandhi », dans *Cahiers Léon Tolstoï,* n° 2, Institut d'études slaves, Paris, 1985, p. 52.

Ma jeune intelligence s'efforça d'unir dans un seul enseignement la *Gîtâ, La Lumière de l'Asie* et le « Sermon sur la montagne ». L'idée que le renoncement était la forme suprême de toute religion exerçait un grand attrait sur moi [2]. » La lecture des Évangiles suscitait chez Gandhi des questions sur la nature de la religion chrétienne et ses similitudes avec l'hindouisme. C'est sans doute la raison qui l'incita à connaître les différents prédicateurs chrétiens qui vivaient à Londres et en Afrique du Sud.

Parmi ses rencontres, il faut citer sir Edwin Arnold, le docteur Oldfield, Hills, A. W. Baker, Coats, Alexander, les docteurs Edward Maitland et Anna Kingsford... Une liste incomplète si l'on n'y ajoutait le nom de C. F. Andrews.

Andrews occupe une place à part parmi les chrétiens qui ont côtoyé Gandhi, de près ou de loin. Gandhi voyait en lui celui qui pratiquait le message de l'amour prêché par le Christ, et c'est pourquoi il lui avait donné le nom indien de Deenbandhu (l'« Ami des pauvres »). Quant à Andrews, il considérait Gandhi comme un nouveau saint François. Ils s'étaient rencontrés le 1er janvier 1914 à Durban. À l'époque, Gandhi avait déjà des idées très arrêtées sur le christianisme et le message du Christ, notamment grâce à ses lectures de l'œuvre de Tolstoï et sa correspondance avec le sage russe. Les années qui précédèrent la lecture de Tolstoï furent des années de tension pour Gandhi, à la fois dans sa rencontre avec les chrétiens et avec la doctrine du Christ. Il lit la Bible et participe aux assemblées chrétiennes. Il est même très actif au sein de l'Union ésotérique chrétienne (ECU), créée par Edward Maitland, l'auteur de deux livres, *The Perfect Way* et *The New Interpretation of the Bible*. Maitland et l'ECU étaient très critiques à l'égard du christianisme dogmatique, et faisaient une lecture ouverte et sans préjugés de l'hindouisme. Leur attitude était donc très différente de celle des chrétiens comme Coates qui insistaient pour que Gandhi et les siens deviennent des chrétiens convaincus. « Mr. Caotes, écrit Gandhi, n'avait aucun respect pour ma religion. Il

---

2. M. K. Gandhi, *Autobiographie, op. cit.,* p. 89.

attendait impatiemment le jour, où, enfin, il m'aurait tiré de mon abîme d'ignorance. Il aurait voulu me persuader, sans égard pour ce qu'il pouvait y avoir de profitable dans les autres religions, de l'impossibilité pour moi de trouver le salut si je n'acceptais le christianisme comme représentant la seule vérité, et aussi de l'impossibilité de me laver de mes péchés, sauf par l'entremise de Jésus […]. Le problème était ailleurs, pour moi. Il avait trait à la Bible et à son interprétation officielle [3]. » Ainsi Gandhi se sentait plus proche du message du Christ et surtout de son « Sermon sur la montagne », que du christianisme en général ; il mettait en perspective les leçons tirées des Écritures hindoues et les paroles du Christ. Cependant, cette tentative de rapprochement entre les deux textes sacrés demeurait assez vague. Seule la lecture des écrits de Tolstoï a fortifié les intuitions de Gandhi, en les transformant en une véritable arme spirituelle.

La plupart des biographes et commentateurs de Gandhi situent sa première rencontre avec l'œuvre de Tolstoï autour de l'année 1893, juste quelques mois après son arrivée en Afrique du Sud [4]. « À vingt-quatre ans, note Olivier Clément, Gandhi connaissait à fond les écrits religieux, éthiques et polémiques du maître russe […] [5] » Parmi ces écrits, il faut citer *Le Royaume de Dieu est en vous ; Que faire ?; Qu'est-ce que l'art ?; L'Esclavage moderne ; Le Premier Pas ; Où est l'issue ?* et *Lettre à un hindou.* Parmi ces ouvrages, celui qui a le plus influencé Gandhi est *Le Royaume de Dieu est en vous.* « [ce livre] de Tolstoï, écrit Gandhi, m'enthousiasma. J'en gardai une impression inoubliable. Devant l'indépendance de pensée, la profondeur des vues morales et le souci de vérité de ce livre, tous ceux que m'avait donnés Mr. Coates devenaient pâles, insignifiants [6]. »

Gandhi était à cette époque un jeune homme de vingt-quatre ans, Tolstoï un sage vénéré de soixante-six ans. Gandhi venait de

---

3. M. K. Gandhi, *Autobiographie, op. cit.,* p. 156-157.
4. Voir à ce propos D. G. Tendulkar, *Mahatma, op. cit.,* vol. I.
5. Olivier Clément, « Tolstoï et Gandhi », *op. cit.,* p. 52.
6. M. K. Gandhi, *Autobiographie, op. cit.,* p. 173.

commencer ses premiers pas de résistant civil en tant qu'avocat en Afrique du Sud, alors que Tolstoï avait déjà formulé sa théorie de l'anarchisme chrétien et de la lutte non violente. « La violence engendre la violence, dit Tolstoï, la seule méthode pour s'en débarrasser est de n'en pas commettre [...]. Vous voulez supprimer le mal par le mal ? C'est impossible, car pour que le mal ne soit pas fait, ne faites pas le mal [7]. » Il était donc normal que Gandhi tombe sous le charme métaphysique de Tolstoï, car non seulement il pouvait affermir la théorie hindoue de l'*ahimsa* à travers la lecture de ce dernier, mais aussi rapprocher la vision védantique de l'homme à l'interprétation tolstoïenne des Évangiles. La philosophie de Tolstoï est l'application pratique des idées fondatrices de Jésus-Christ (telles qu'elles sont évoquées dans le « Sermon sur la montagne »), quant aux problèmes sociaux et politiques des temps modernes. Tolstoï résume la doctrine du Christ dans l'idée de l'amour. Et l'amour est considéré par lui comme le principe de base de la non-violence. C'est cette idée d'amour, en tant que moyen central de la lutte non violente contre l'injustice, que Gandhi a découverte chez Tolstoï. Il en conviendra plus tard : « C'était il y a quarante ans, pendant une crise sévère de scepticisme et de doute, que j'ai découvert ce livre : *Le Royaume de Dieu est en vous,* et je fus très impressionné par sa lecture. À cette époque, je croyais à la violence. La lecture de ce livre m'a guéri de mon scepticisme et a fait de moi un véritable croyant en l'*ahimsa.* Ce qui m'a le plus influencé chez Tolstoï, c'est qu'il pratiquait ce qu'il prêchait [8]. » Il affirmera que « Tolstoï était le plus grand apôtre de la non-violence que notre époque a produit. Personne en Occident, avant et depuis lui, n'a écrit ou parlé de la non-violence d'une manière aussi complète et insistante, et avec une telle pénétration et intuition [9]. » Gandhi, en plein accord avec Tolstoï, affirme que la non-violence et l'amour

---

7. Cité dans Olivier Clément, « Tolstoï et Gandhi », *op. cit.,* p. 53.
8. D. G. Tendulkar, *Mahatma, op. cit,* vol. 2, p. 317.
9. *Ibid.,* p. 317-318.

sont les deux éléments de base de toute croyance religieuse. Impressionné par sa première lecture de Tolstoï, Gandhi continue à approfondir sa connaissance de la pensée du grand écrivain russe. Dans son *Autobiographie,* il fait état de la lecture de deux autres de ses livres : « Je me livrai à une étude très attentive des livres de Tolstoï : *Le Résumé des Évangiles ; Ce qu'il faut faire ;* d'autres œuvres de lui firent sur moi une profonde impression. Je me rendais au fur et à mesure de plus en plus compte des possibilités de l'amour universel [10]. » Nous trouvons des traces du nom et des idées de Tolstoï dans tous les écrits et correspondances de cette époque de la vie de Gandhi.

Entre les années 1893-1894, c'est-à-dire l'époque où Gandhi entreprend la lecture des œuvres de Tolstoï, et le 1er octobre 1909 où il décide de correspondre directement avec lui, le nom du sage russe revient à plusieurs reprises sous sa plume.

Dans le numéro d'*Indian Opinion,* daté du 2 septembre 1905, Gandhi fait connaître la vie et l'œuvre de Tolstoï aux lecteurs indiens, en soulignant : « Il est dit que dans le monde occidental sous toutes ses formes, il n'y a pas un seul homme aussi talentueux, savant et ascétique que le comte Tolstoï [...]. Aujourd'hui en Europe, des milliers d'hommes ont adopté la manière de vie de Tolstoï. Ils ont abandonné tous leurs biens terrestres pour mener une vie très simple [11]. » Quelques mois plus tard, le 2 décembre 1905, dans les colonnes du même journal, Gandhi présente une traduction en goujrati de l'un des essais de Tolstoï sous le titre « Wonderful is the way of God », et écrit dans sa préface : « Tolstoï a écrit des livres pour montrer comment la vie de l'homme peut être réformée, et, avec le même but en vue, il a aussi écrit quelques nouvelles [12]. » Deux ans plus tard, dans un article daté du 26 décembre 1907 sur Henry David Thoreau et la résistance passive, Gandhi cite un passage d'un texte de Tolstoï

10. M. K. Gandhi, *Autobiographie, op. cit.,* p. 200.
11. M. K. Gandhi, *Collected Works,* vol. V, *op. cit.,* p. 56-57.
12. *Ibid.,* p. 167.

sur *L'État et les principes chrétiens,* où il écrit : « Le principe de la nécessité de l'État ne peut qu'obliger les hommes à désobéir aux lois de Dieu, ces hommes qui, pour avoir des avantages terrestres, tentent de réconcilier l'inconciliable ; mais un chrétien qui croit sincèrement que l'application des enseignements de Jésus peut lui apporter le salut ne peut pas donner de l'importance à ce principe [13]. » Cette citation prend toute sa signification politique dans le contexte de la lutte menée par Gandhi et les siens contre la loi de 1907 en Afrique du Sud [14]. C'est à l'occasion de sa première action non violente que Gandhi est emprisonné. Malgré les conditions difficiles de la prison, il continue ses lectures et ses recherches. Nous pouvons voir le nom de Tolstoï cité encore une fois parmi les livres lus par Gandhi en prison.

À l'époque où Gandhi se trouvait en prison, la colonie de Phoenix existait depuis trois ans. Dans cette communauté fondée par Gandhi et ses amis, sur la base des idées de Ruskin et de Tolstoï, il avait installé le siège de son journal. Libéré, Gandhi reprend sa vie active à la colonie de Phoenix tout en menant sa campagne du *satyagraha* contre les lois injustes du gouvernement sud-africain. Pendant l'époque communautaire de Phoenix, le nom de Tolstoï revient à plusieurs reprises sous sa plume. D'abord, dans une lettre adressée le 26 avril 1909 à H. S. Polak où il conseille à tous ses amis de la colonie de Phoenix de « lire la vie de Tolstoï et ses *Confessions* [15] ». Puis son nom est cité dans un article d'*Indian Opinion* où Gandhi souligne que l'idée de base de la colonie de Phoenix est de « mettre en pratique les enseignements essentiels de Tolstoï et de Ruskin [16] ».

Pénétré de la pensée de Tolstoï, la faisant passer dans sa pratique, Gandhi hésite longtemps avant d'écrire à son maître. De passage à Londres, il lui adresse sa première lettre, le 1er octobre

---

13. M. K. Gandhi, *Collected Works,* vol. VII, *op. cit.,* p. 304.
14. Cette loi contraignait les Indiens à un contrôle policier sévère.
15. M. K. Gandhi, *Collected Works,* vol. IX, *op. cit.,* p. 213.
16. *Ibid.,* p. 274.

1909. À partir de cette date, et jusqu'à la mort de Tolstoï en novembre 1910, les deux hommes engagent un dialogue permanent autour des deux grands problèmes de l'amour et de la non-violence.

Dans sa première lettre, Gandhi évoque brièvement la nature de son action de résistance passive, et les problèmes des Indiens en Afrique du Sud. Il dit aussi à Tolstoï qu'il a l'idée de lancer un concours qui récompenserait un écrit consacré à la non-violence, « pour rendre populaire le mouvement de résistance passive et faire réfléchir l'opinion ». Enfin, il lui signale qu'il a lu la *Lettre à un hindou* et demande l'autorisation d'en faire des copies dans sa traduction anglaise. Cependant, il reste critique sur un passage de ce livre concernant le rejet de la notion de « réincarnation » par Tolstoï. « La réincarnation ou transmigration, écrit Gandhi dans sa lettre, est une croyance chère à des millions de personnes, en Inde, et en Chine également. Pour beaucoup, on peut presque dire que c'est une question d'expérience et non une idée simplement acceptée par l'esprit. Cela explique raisonnablement bien des mystères de la vie [17]. » Attitude intéressante de la part de Gandhi, où l'on voit, selon Olivier Clément, qu'il tente de « défendre contre le rationalisme tolstoïen, le fonds religieux de l'hindouisme [18] ». La réponse de Tolstoï à la lettre de Gandhi est rapide. Dans sa lettre, le 7 octobre 1909, « il demande à Dieu d'aider tous les frères et collaborateurs du Transvaal [19] », et rapproche leur combat non violent de celui des objecteurs de conscience en Russie. « Ce même effort de la douceur contre la dureté, écrit Tolstoï, de l'humilité et de l'amour contre l'orgueil et la violence s'affirme chez nous aussi chaque année davantage, surtout dans ce conflit, un des plus aigu qui soit entre la loi de Dieu et les lois de ce monde : le refus du service militaire [20]. » Quant au mot de

---

17. Cité dans Kalidas Nag, *Tolstoy and Gandhi,* Pustak Bhandar, Patna, 1950, p. 61.
18. *Ibid.,* p. 62.
19. Olivier Clément, « Tolstoï et Gandhi », *op. cit.,* p. 55.
20. Cité dans Kalidas Nag, *Tolstoy and Gandhi, op. cit.,* p. 63.

« réincarnation », Tolstoï autorise Gandhi à le supprimer dans sa traduction de la *Lettre à un hindou,* mais il prend le soin de marquer sa divergence avec Gandhi sur ce point et ajoute : « La foi dans la réincarnation ne pourra jamais être aussi solide que la foi dans l'immortalité de l'âme et dans la justice et l'amour de Dieu [21]. » Enfin, Tolstoï déconseille à Gandhi de lancer un concours pour récompenser une publication consacrée à l'éthique politique et à la pratique de l'action non violente. « Un concours, écrit-il, c'est-à-dire l'offre d'une récompense en argent, dans ce domaine qui est religieux, serait, je pense, déplacé. Mais, si je peux favoriser votre publication, je serais très heureux de le faire [22]. » Gandhi publia la réponse de Tolstoï dans le numéro daté du 13 novembre 1909 d'*Indian Opinion* en notant : « Le plus grand homme de la Russie c'est le comte Tolstoï. Je lui avais adressé une lettre en relation avec notre combat et d'autres problèmes concernant cette affaire […] [23] » Gandhi écrivit à nouveau à l'écrivain le 10 novembre 1909, et lui envoya l'ouvrage de Doke sur le combat non violent des Indiens au Transvaal. Il demanda à Tolstoï d'user de son influence pour populariser ce mouvement, car la réussite du mouvement du *satyagraha,* « serait non seulement une victoire de la religion, de la vérité et de l'amour sur la non-religion, la haine et le mensonge, mais cela servirait d'exemple aux millions d'Indiens et aux populations des autres parties du monde […] [24] ». Cependant, il conclut sa lettre en précisant que les négociations à propos du problème des Indiens en Afrique du Sud ont échoué à Londres, et qu'il sera sans doute emprisonné à son arrivée.

De retour au Transvaal, échappant finalement à l'arrestation, Gandhi écrivit une nouvelle lettre à Tolstoï le 4 avril 1910 et lui adressa son premier écrit important sur l'autonomie de l'Inde

---

21. Cité dans Kalidas Nag, *Tolstoy and Gandhi, op. cit.,* p. 63.
22. *Ibid.,* p. 63.
23. Cité dans Olivier Clément, « Tolstoï et Gandhi », *op. cit.,* p. 56.
24. M. K. Gandhi, *Collected Works,* vol. IX, *op. cit.,* p. 483.

intitulé *Hind Swaraj*. Publié à Bombay au début de l'année 1910, ce livre est aussitôt interdit par les autorités coloniales. Sachant que Tolstoï est malade, Gandhi n'insiste pas trop pour obtenir une réponse hâtive de sa part, mais il lui demande de parcourir son livre et d'en faire la critique.

Tolstoï accuse réception par une lettre datée du 8 mai : « Je lis votre livre avec grand intérêt, car je pense que la question que vous traitez, la résistance non violente, est de la plus grande importance, non seulement pour l'Inde, mais pour l'humanité tout entière [...]. Je ne vais pas trop bien en ce moment et c'est pourquoi je ne puis écrire tout ce que je souhaiterais vous dire au sujet de votre livre et de votre lutte, que j'apprécie énormément, mais je le ferai dès que je me sentirai mieux [25]. » Deux semaines avant d'écrire à Gandhi, Tolstoï avait mentionné le livre dans une lettre à son ami et confident V. Chertkov : « Aujourd'hui et hier soir, j'ai lu ce livre qui m'a été envoyé avec une lettre. L'auteur, Gandhi, est un penseur et combattant indien qui lutte contre l'autocratie britannique avec les moyens de la résistance passive. Il nous est très proche. Il a lu mes écrits. Son livre *L'Autonomie indienne,* écrit dans une langue indienne, a été interdit par le gouvernement britannique. Il a demandé mon opinion au sujet de ce livre. Je voudrais lui écrire une lettre en détail. Pourriez-vous m'aider à la traduire pour moi [26] ? »

Gandhi écrivit sa dernière lettre à Tolstoï le 15 août 1910, en évoquant la lettre de Kalenbach à Tolstoï et la vie à la ferme Tolstoï. Or, cette fois, c'est Chertkov qui lui répond en précisant que la dernière lettre écrite par Tolstoï à Gandhi sera publiée à Londres dans un journal anglais dirigé par les adeptes de Tolstoï. Suite à la lettre de Chertkov, Tolstoï adresse sa nouvelle lettre à Gandhi, deux mois avant sa mort, le 7 septembre 1910. Ce fut une longue lettre écrite sur un ton solennel et formulée comme un testament. « Tant que je vivrai, écrit Tolstoï, et spécialement

---

25. Cité dans Kalidas Nag, *Tolstoy and Gandhi, op. cit.,* p. 65.
26. *Ibid.,* p. 67.

maintenant où je ressens vivement la proximité de la mort, je veux faire connaître à autrui mes sentiments les plus profonds. Il s'agit de ce qui, pour moi, prend une importance immense, c'est-à-dire ce qu'on appelle la "non-résistance". En réalité, cette non-résistance n'est rien d'autre que l'enseignement de l'amour non faussé par des interprétations mensongères [27]. » Et Tolstoï continue en formulant son idée de l'homme : « Cet amour, qui est besoin d'union des âmes et de l'activité qui en découle, est la plus haute et l'unique loi de la vie humaine, et, au fond de son âme, tout être humain, nous le voyons chez les enfants, éprouve cela [...]. Cette loi de l'amour a été promulguée par tous les philosophes indiens, chinois, hébreux, grecs et romains. Mais c'est le Christ qui l'a exprimée le mieux en disant : "Elle seule contient toute la loi et les prophètes [28]." » Tolstoï revient ensuite sur les manières dont cette loi a été subvertie par les chrétiens et l'Église en rapportant l'histoire d'une jeune fille qui, dans une école de Moscou, s'est opposée à un archiprêtre en affirmant que le sixième commandement du Christ, « Tu ne tueras point », reste valable en tout lieu et en toute circonstance. « Oui, dit Tolstoï, nous pouvons discuter, dans nos journaux, du progrès dans le domaine de l'aviation et les autres découvertes, des relations diplomatiques compliquées, des différents clubs et alliances, de la prétendue création artistique, etc., et nous passons sous silence ce qui est affirmé par cette jeune fille. Mais le silence est vain dans ce cas, car tout le monde dans la chrétienté a plus ou moins le même sentiment que cette jeune fille. Socialisme, communisme, anarchisme, Armée du Salut, criminalité qui augmente, chômage, luxe grandissant, insensé des riches et misère des pauvres, nombre croissant des suicides, tout manifeste, tout témoigne que cette contradiction intérieure doit et ne peut être résolue [29]. » Et Tolstoï finit sa lettre en rassurant

---

27. Cité dans Kalidas Nag, *Tolstoy and Gandhi, op. cit.,* p. 69.
28. *Ibid.,* p. 71.
29. *Ibid.,* p. 71.

Gandhi et les siens sur leur victoire dans le combat contre le mal en soulignant : « Bien que les militants non violents [au Transvaal] comme les objecteurs de conscience en Russie, constituent une minorité très restreinte, ils peuvent dire que Dieu est avec eux, et Dieu est plus fort que les hommes [30]. »

Cette dernière lettre de Tolstoï à Gandhi témoigne du fait qu'il avait senti en lui un véritable disciple et continuateur de ses idées. Cela n'est pas trop loin de la vérité. Car si c'est Tolstoï qui a donné à la pensée de Gandhi sa vraie portée créatrice, Gandhi, pour sa part, est resté fidèle, à la fois, à la non-violence tolstoïenne et à son idée cruciale sur l'« unité des religions ». Les enseignements des Évangiles et de la *Bhagavad-Gîtâ* prennent ainsi la plénitude de leur sens aux yeux de Gandhi à la lumière de la sagesse tolstoïenne. Tolstoï est donc encore une fois plus qu'une simple étape dans la maturation intellectuelle de Gandhi. Il est celui qui a le plus influencé Gandhi, à la fois par sa sagesse réaliste et par son humanisme pratique. C'est peut-être la raison pour laquelle le nom de Tolstoï revient souvent sous la plume de Gandhi cité au moins une fois, et souvent plus, dans la moitié des cent volumes de ses œuvres complètes.

---

30. Cité dans Kalidas Nag, *Tolstoy and Gandhi, op. cit.*, p. 74.

## Chapitre II

## *Tolstoï, le pèlerin de l'absolu*

Étrange destin que celui de Léon Tolstoï. Né le 28 août 1828 dans une famille aristocratique d'Iasnaïa Poliana, il reçoit une éducation digne de son rang, sous la houlette, juste et affectueuse, de sa tante Tatiana qui, après le décès de sa mère, avait assuré son éducation. Dans sa jeunesse, il ne montre pas un très grand enthousiasme pour les études, tout comme les autres enfants de l'aristocratie russe. Il lit beaucoup et s'intéresse de près aux légendes populaires russes et à la Bible, ce qui développe chez lui une certaine aptitude du questionnement sur le sens de la vie et les fins dernière de l'homme. « Aucune école philosophique, écrira-t-il plus tard, en octobre 1854, dans l'un de ses premiers écrits intitulé *Adolescence,* ne m'attirait autant que le scepticisme qui, à un moment donné, m'accula à un état voisin de la folie. Je m'imaginais qu'en dehors de moi personne ni rien n'existait dans le monde, que les objets n'étaient pas des objets mais des images, qui ne tiraient leur existence que de l'attention que je leur accordais, pour s'évanouir dès que je cessais d'y penser. En un mot, je fus d'accord avec Schelling pour prétendre que ce ne sont pas les objets qui existent, mais notre rapport à eux. À certains moments, cette idée fixe me conduisit à de telles divagation que parfois, me retournant brusquement, je m'attendais à découvrir tout à coup le néant à l'endroit où je ne me trouvais pas [1]. » Ainsi, préoccupé par le

---

1. L. Tolstoï, *Adolescence,* in *Les Œuvres littéraires de Tolstoï,* Éditions Rencontre, Lausanne, 1961, vol. I, p. 274.

problème de l'entendement humain, Tolstoï a composé, à l'âge de dix-sept ans, une dissertation de quelques pages où il discute de l'idée axiale de la philosophie cartésienne, le *cogito ergo sum*. « Descartes, écrivait le jeune Tolstoï, pensait parce qu'il voulait penser ; par conséquent, il convenait de dire : *volo ergo sum*. Une seule chose est certaine, c'est que je veux et par conséquent que j'existe [2]. » On peut déceler déjà chez le jeune Tolstoï cette tendance à la réflexion et à la méditation, tendance qui le poussera plus tard dans sa vie à lire toute l'œuvre de Jean-Jacques Rousseau et de Schopenhauer, et à s'intéresser à Hegel et à Spinoza. Quoi qu'il en soit, malgré ce goût poussé pour la philosophie et la réflexion en général, le jeune Tolstoï était conscient de ses limites, qu'il a dépeintes dans *Adolescence* avec une lucidité plus qu'étonnante : « Les découvertes philosophiques que je faisais flattaient grandement mon amour-propre. Je me prenais souvent pour un grand homme qui découvre des vérités nouvelles, pour le bien de l'humanité, et considérais les autres humains avec une orgueilleuse conscience de mes propres mérites. Or, chose étrange, aussitôt que j'entrais en contact avec ces humains, je perdais contenance devant eux ! Plus je m'élevais dans ma propre considération, moins je pouvais non seulement manifester la conscience de ma dignité, mais même me forcer à ne pas rougir de chaque mot, fût-ce le plus simple, de chacun de mes gestes, dès que je me trouvais en présence d'autrui [3]. »

Il va sans dire que cette prédilection particulière du jeune Tolstoï pour la pensée philosophique s'est transformée, peu à peu, à travers ses multiples expériences, en une réflexion morale et religieuse sur les idées de Dieu, de l'immortalité de l'âme et de la liberté. Encore faut-il reconnaître que, dans l'évolution de sa pensée, ces trois idées se sont succédé d'une manière chronologique en se complétant mutuellement. À ces trois idées s'ajoutent aussi trois autres préoccupations sur les problèmes de la mort, de l'amour et de la violence.

---

2. Cité dans Nicolas Weisbein, *Tolstoï,* PUF, Paris, 1968, p. 32.
3. L. Tolstoï, *Adolescence, op. cit.,* p. 275.

Parmi ces lignes de force qui commandent le développement ultérieur de la pensée philosophique de Tolstoï, nous trouvons les problèmes de la liberté et du déterminisme qui apparaissent dans son *Journal* à la fin de 1851, tandis qu'il est au Caucase comme sous officier d'artillerie. Il écrit : « Le 21 décembre, à minuit, j'ai eu quelque chose comme une illumination. Je voyais clairement l'existence de l'âme, son immortalité (l'éternité) la dualité de notre existence, et la nature de la volonté. La liberté est relative ; par rapport à la matière, l'homme est libre ; par rapport à Dieu il ne l'est pas [4]. » Ainsi la question de la liberté a amené Tolstoï à celle de Dieu.

Durant sa jeunesse, son inquiétude essentielle a développé chez lui un penchant pour des spéculations métaphysiques sur l'Être suprême. Mais sa quête perpétuelle de la vérité et son introspection permanente lui ont permis de réviser ses points de vue sur la nature divine, et à dépasser toute tentative « logique » de fonder la religion et l'existence de Dieu.

Dans ses *Confessions* (1882), Tolstoï reviendra sur ces années de jeunesse : « La croyance qui me fut inculquée dès l'enfance s'en est allée de moi comme des autres, avec cette différence qu'ayant lu dès l'âge de quinze ans des ouvrages philosophiques, mon détachement de la religion fut conscient de très bonne heure. À l'âge de seize ans, j'avais cessé de prier, par ma propre impulsion ; j'avais cessé d'aller à l'église, de faire mes dévotions ; je ne croyais plus en ce qu'on m'avait enseigné dès l'enfance, mais je croyais à quelque chose. À quoi ? Je ne pourrais nullement le dire. Je croyais en Dieu, ou plutôt je ne niais pas Dieu, mais quel Dieu ? Je ne savais. Je ne niais pas le Christ et sa doctrine, mais en quoi consistait cette doctrine, je ne l'aurais pu dire [5]. »

La période qui sépare la parution des *Confessions* et les écrits de jeunesse de Tolstoï est marquée par plusieurs crises spirituelles, l'une plus violente que l'autre du point de vue

---

4. Cité dans Nicolas Weisbein, *Tolstoï, op. cit.,* p. 34.
5. L. Tolstoï, *Confessions,* Stock, Paris, 1908, p. 7-8 ; cité par Alain Refalo, *Tolstoï, la quête de la vérité,* Desclée de Brouwer, Paris, 1997, p. 14.

métaphysique et spirituel. Elle est aussi caractérisée par le mariage de Tolstoï avec Sophie Bers, et la rédaction de deux de ses grands romans : *Guerre et Paix* et *Anna Karenine*. Dans ces romans, Tolstoï a exprimé ses idées concernant l'histoire, l'amour et la foi. Ainsi, tout au long de ces années de tourments spirituels et de réussite littéraire, l'impératif esthétique alla de pair avec un impératif moral. La perception implicite d'une telle éthique chez Tolstoï est confirmée par son discours de réception prononcé, en 1859, devant la Société des amis de la littérature russe, où il rappela que « la littérature d'un peuple est l'expression totale, multiforme, de sa conscience, dans laquelle doivent se refléter à parts égales et l'amour du peuple pour le bien et la justice et sa vision de la beauté à une certaine époque de son développement [6]. » Le sens du beau dont parle ici Tolstoï découle de son sens du vrai qui anime toute son œuvre d'un bout à l'autre. C'est pourquoi il écrivait en mai 1855 dans l'un de ses *Récits de Sébastopol :* « Le vrai héros de mes récits que j'aime de toutes les forces de mon âme, que je me suis efforcé de faire apparaître dans toute sa beauté et qui fut, est et demeurera toujours admirable, c'est la vérité [7]. » Alexandra Tolstoï, l'une des filles de l'écrivain russe, dira un siècle plus tard à propos de son père : « On continue à lire, à publier et à traduire *Guerre et Paix* dans tous les pays du monde civilisé [...] parce que les questions que l'auteur y soulève sont des questions éternelles. L'objet de sa quête est la vérité, la vérité toute nue même si la foule refuse de la reconnaître [8]. »

La recherche de la vérité, pour Tolstoï, est le sens de la vie, car elle est l'essence de la religion. Or, une religion qui n'engendre pas d'actes de vérité n'est pas une religion véritable. Car « la vérité ne se transmet aux hommes que par des actes de vérité. Seuls les actes de vérité, en introduisant la lumière dans la

---

6. Cité dans Michel Aucouturier, *Tolstoï,* Seuil, « Écrivains de toujours », Paris, 1996, p. 53.
7. Cité dans Alain Refalo, *Tolstoï, la quête de la vérité, op. cit.,* p. 18.
8. Alexandra Tolstoï, *Léon Tolstoï, mon père,* Amoit Dumont, Paris, 1956, p. 180-181 ; cité par Alain Refalo, *op. cit.,* p. 25.

conscience de chaque homme, détruisent l'homogénéité de l'erreur, détachent un à un de la masse les hommes unis entre eux par la force de l'erreur [9]. » Pour Tolstoï, l'essence de cette vérité réside dans l'enseignement du Christ qui est formulé dans les cinq commandements du « Sermon sur la montagne » : « Tu ne jugeras point. » – « Tu ne te mettras pas en colère. » – « Tu ne commettras pas l'adultère. » – « Tu ne prêteras pas serment. » Et : « Tu ne résisteras pas au méchant par la violence. » Tous ces préceptes n'ont qu'un seul but : indiquer à l'humanité la voie de la perfection. Ils « exigent une communion constante avec le monde [10] », mais « ne prescrivent pas un idéal [11]. »

Il ne s'agit donc pas pour Tolstoï de s'isoler dans un coin perdu du monde en tournant le dos aux problèmes humains. Bien au contraire, le christianisme de Tolstoï se résume à l'idée qu'il n'y a pas de perfectionnement personnel en dehors du bien de tous. C'est la raison pour laquelle il oppose la vie pour soi à la vie pour l'autre. Car il n'y a de vie authentique que dans l'amour du prochain. « Pour donner un sens raisonnable à notre existence, écrit Tolstoï à Romain Rolland, il faut exiger des autres le moins possible et leur donner le plus possible [12]. » Selon Tolstoï, la bonté est donc le meilleur moyen pour lutter contre le mal. Tolstoï reprend à son compte la parole de Jésus tirée du verset 39 du chapitre V de saint Matthieu où il dit : « Vous avez entendu qu'il a été dit : "Œil pour œil, dent pour dent." Et moi je vous dis de ne point résister au méchant », et il donne une nouvelle signification à cette parole en écrivant : « Ne résiste jamais au méchant, c'est-à-dire ne commets jamais la violence ; en d'autres termes : ne commets jamais aucun acte contraire à l'amour. Si

9. Cité dans Nicolas Weisbein, *Tolstoï, op. cit.,* p. 79-80.
10. L. Tolstoï, *Quelle est ma foi ?,* Stock, Paris, 1914, p. 210 ; cité par Alain Refalo, *op. cit.,* p. 47.
11. L. Tolstoï, *L'Idéal chrétien,* Bibliothèque Charpentier, Paris, 1903, p. 275 ; cité par Alain Refalo, *op. cit.,* p. 46.
12. Lettre à Romain Rolland datée du d'octobre 1887, dans *Cahiers Romain Rolland,* n° 24, Albin Michel, Paris, 1978, p. 23.

l'on t'insulte, supporte l'offense et, malgré tout, ne recours jamais à la violence [13]. »

L'idée de la résistance au mal et de l'amour du prochain devient le pivot central de toute la philosophie tolstoïenne. C'est en s'appuyant sur elle que Tolstoï a fondé sa critique adressée à l'État et au christianisme de l'Église. Par ailleurs, cette idée est comme la clef de voûte de toute sa vision du monde, qui fait de lui l'un des grands précurseurs de la pensée de la non-violence. Toutefois, il ne faut pas oublier de rappeler ici que l'expression « non-violence » n'apparaît pas chez Tolstoï d'une manière très claire, puisqu'elle a été formulée pour la première fois par Gandhi comme une stratégie politique. Mais quand Tolstoï parle du refus de l'utilisation de la violence pour résister au mal, il reste dans la droite ligne de toute cette tradition de la pensée moderne de la désobéissance civile inaugurée par Thoreau et complétée par Gandhi. Chez Tolstoï comme chez tous les penseurs chrétiens de la non-violence, toute obéissance à la loi divine implique une désobéissance à la loi injuste. D'après lui, pour vaincre la violence en général, il faut « cesser d'obéir à toute autorité fondée sur la violence [14] ». De même, plus précisément, selon Tolstoï, « l'État c'est la violence, le christianisme, c'est l'humilité, la non-résistance au mal par le mal, l'amour ; c'est pourquoi l'État ne peut être chrétien, et l'homme qui veut être chrétien ne peut servir l'État [15] ». La désobéissance au pouvoir implique non seulement une critique radicale des institutions telles que la police et l'armée, qui sont des instruments de la violence de l'État, mais aussi un refus absolu de payer des impôts et de participer au service militaire. De fait, Tolstoï s'interroge sur ces deux dernières institutions : « Pourquoi, sous forme d'impôt, leur abandonnerais-je le produit de mon travail, sachant que cet argent sert à acheter des fonctionnaires, à construire des prisons et

---

13. L. Tolstoï, *Quelle est ma foi ?*, cité par Alain Refalo, *op. cit.*, p. 41-42.
14. L. Tolstoï, *La Portée de la Révolution russe* (1906) ; cité par Alain Refalo, *op. cit.*, p. 72.
15. L. Tolstoï, *Lettre au directeur d'un journal allemand* (1896) ; cité par Alain Refalo, *op. cit.*, p. 72-73.

des églises, à entretenir l'armée, et à d'autres mauvaises choses destinées à m'opprimer [16] ? » Un point de vue qui l'amène à s'opposer à l'accomplissement du service militaire : « Le service militaire, dit-il, loin d'être une fonction noble, en est une parfaitement vile. Sa mission est de maintenir dans la servitude, par la menace de l'assassinat ou par l'assassinat lui-même, des hommes dans les conditions injustes où ils se trouvent [17]. » Accomplir le service militaire est donc, selon Tolstoï, une manière de devenir l'instrument de violence du pouvoir et, par la même occasion, de perdre une part de sa propre conscience. Elle est la négation de cette dignité humaine à laquelle fait appel le christianisme de Jésus. Car, « quelque peu instruit que soit un homme, il ne peut ignorer que le Christ n'a pas permis l'assassinat, mais qu'il a prêché la douceur, l'humilité, le pardon des injures, l'amour des ennemis, et qu'il lui est impossible de ne pas comprendre que, selon la doctrine chrétienne, il ne peut lui permettre à l'avance de tuer tous ceux qu'on lui ordonnera de tuer [18] ». Tolstoï fait donc appel à la conscience des chrétiens pour qu'ils désobéissent à l'État et à toute sorte de violence émanant de son organisation. C'est dans cette voie qu'il soutiendra la communauté des Doukhobors, des objecteurs de conscience. C'est aussi la raison de sa critique de la guerre russo-japonaise en janvier 1904. « Des centaines de milliers d'êtres humains, séparés par des dizaines de milliers de kilomètres, les uns bouddhistes, dont la foi défend de tuer non seulement les hommes, mais même les animaux, les autres chrétiens, qui professent la loi de fraternité et d'amour, se cherchent comme des fauves sur terre et sur mer, pour s'entre-tuer, se mutiler, se torturer aussi cruellement que possible [19]. » Tolstoï est donc loin de toute forme d'éloge de la

---

16. L. Tolstoï, *Le salut est en vous* (1893) ; cité par Alain Refalo, *op. cit.,* p.73.

17. L. Tolstoï, *Carnet de l'officier* (1901), Bibliothèque Charpentier, Paris, 1902, p. 79 ; cité par Alain Refalo, *op. cit.,* p. 77.

18. L. Tolstoï, *Lettre à un sous-officier* (1899) ; cité par Alain Refal, *op. cit.,* p. 79-80.

19. L. Tolstoï, *La Guerre russo-japonaise* (1904), Flammarion, Paris, 1905, p. 7-8 ; cité par Alain Refalo, *op, cit.,* p. 94.

guerre et c'est logiquement qu'il s'attaque à l'idée même du patriotisme qui conduit un peuple à se croire supérieur aux autres. « Le patriotisme, écrit-il, n'est pas autre chose pour les gouvernants qu'une arme qui leur permet d'atteindre leurs buts ambitieux et égoïstes ; pour les gouvernés, au contraire, c'est la perte de toute dignité humaine, de toute raison, de toute conscience, et la servile soumission aux puissants […] le patriotisme c'est l'esclavage [20]. » Cependant, ce qui horrifie le plus Tolstoï, c'est la guerre menée au nom d'un Dieu cruel et vengeur, et en faisant appel à la doctrine de Jésus-Christ. Pour Tolstoï, on ne peut vivre intégralement le christianisme sans appliquer les préceptes essentiels de Jésus ; ceux qui prétendent suivre le Christ en paroles, tout en faisant de lui un prophète qui tolère l'injustice et la guerre, ne font que le renier. Car l'homme qui a la foi en Christ doit renoncer à sa vie égoïste en servant les autres, mais aussi doit refuser de résister au mal par la violence. Dans une lettre écrite par Tolstoï, en novembre 1906, à Paul Sabatier, il exprime le fond de sa pensée concernant l'Église et le christianisme dogmatique. « La religion, dit-il, est la vérité et le bien, l'Église, le mensonge et le mal. C'est pourquoi il m'est impossible de me mettre au point de vue de ceux qui croient que l'Église est une organisation indispensable pour la religion, et qu'il ne faut que la reformer pour qu'elle devienne une institution bienfaisante pour l'humanité. L'Église n'a jamais été qu'une institution mensongère et cruelle qui, en vue des avantages qu'elle pouvait acquérir du pouvoir temporel pour ceux qui faisaient partie de cette institution, a perverti et dénaturé la vraie doctrine chrétienne […]. Notre devoir à nous et à nos contemporains n'est pas de répéter vaguement des choses qui ont été si bien dites des siècles avant nous, mais de tâcher de préciser les principes de la vraie religion, qui doit remplacer les affreuses superstitions de l'Église, que fait semblant de professer à présent

---

20. L. Tolstoï, *L'Esprit chrétien et le Patriotisme* (1894), Perrin, Paris, p. 128 ; cité par Alain Refalo, *op. cit.*, p. 95.

l'humanité chrétienne [...]. Cela dura des siècles, mais avec le progrès des Lumières en général le véritable esprit chrétien, caché sous les voiles dont l'avait recouvert l'Église, se fit jour de plus en plus : la contradiction de la vraie doctrine chrétienne et du régime autoritaire de l'État, soutenu par la violence, devint de plus en plus évidente. Malgré tous les efforts de l'État et de l'Église de réunir les deux principes : celui du vrai christianisme (amour, humilité, clémence) et celui de l'État (voie de fait, force physique, violence), la contradiction devint de notre temps telle-ment évidente qu'une solution telle quelle de cette flagrante contradiction ne peut plus être retardée [21]. »

Il va donc sans dire que, pour Tolstoï, l'Église a obscurci par ses interprétations erronées la vraie doctrine du Christ telle qu'elle est enseignée dans les Évangiles. Tolstoï entreprend de faire un retour à la parole originale du Christ, et publie à Genève en 1892-1894, une *Réunion et traductions des quatre Évangiles*. Sa traduction tente de rationaliser le récit du Christ en le dépouillant de tout ce qui relève du miraculeux et du surnaturel. Tolstoï prend de plus en plus ses distances par rapport à la doctrine de l'Église en l'opposant à son propre humanisme chré-tien. Comme dirait Dragan Nedeljković dans son article sur « L'idéal de la vie authentique selon Tolstoï » : « À l'opposé de l'Église, qui parle de l'immortalité de l'âme individuelle, en promettant la récompense aux justes et le châtiment aux pécheurs, Tolstoï n'admet pas l'immortalité (ou la résurrection) personnelle ; il n'admet pas non plus l'espoir d'être récompensé personnellement pour des bonnes œuvres, ou l'idée que les malfaiteurs seront châtiés. Tout cela serait des fables pour les petits enfants ! L'entreprise morale de Tolstoï est plus ardue : il ne parle pas des droits de l'homme, il ne souligne que ses devoirs. Pourquoi renonce-t-il si légèrement à la satisfaction ou à la justice au niveau individuel et personnel ? Parce que l'individuel est ce qui est éphémère et mortel en l'homme. Le rôle de chaque

---

21. Cité dans Nicolas Weisbein, *Tolstoï, op. cit.*, p. 113-115.

véritable religion, d'après Tolstoï, est de donner un sens à la vie, un sens tel qui suppose que tout n'est pas anéanti par la mort [22]. »

Tolstoï se révolte contre l'Église, parce qu'elle ne voit pas, selon lui, la possibilité de créer le Royaume de Dieu sur terre, et enseigne à l'homme qu'il doit croire en la vie au-delà de la mort. Pour Tolstoï, au contraire, la foi est enracinée dans la vie, car un vrai chrétien est celui qui pratique les commandements du Christ, ici et maintenant, et ne pense pas au salut de son âme. C'est dans ce sens que la conception tolstoïenne de l'amour acquiert tout son sens. Le bien absolu réside selon Tolstoï dans l'amour du prochain. Il n'y a de vie heureuse que dans l'amour. Telle est l'application tolstoïenne de l'amour chez le Christ, où l'on ne peut accéder à l'amour que grâce à la foi. Mais, puisque la foi est une activité dans le présent, l'amour concerne aussi la vie de tous les jours. Cependant, ce sentiment d'amour ne naît dans l'homme que lorsqu'il prend ses distances par rapport à son individualité égoïste. Il lui faut donc accéder à une nouvelle naissance pour arriver à atteindre la vie authentique qui porte en elle l'idée de l'amour du prochain. C'est dans cette « nouvelle naissance », fondée sur un processus de transmutation de l'amour que se trouve le nœud central des deux grands romans de Tolstoï, *Guerre et Paix* et *Anna Karenine.*

Dans ces deux romans, Tolstoï oppose le sentiment pur et généreux de personnages tels que Pierre Bezukhov, Andreï Bolkonski et Levine, aux instincts vils, égoïstes et débridés de personnages comme Hélène Kouragine, Alexeï Karenine et le comte Vronski. *Guerre et Paix* est plus qu'un roman historique. C'est une œuvre sur la condition humaine. « Le sujet essentiel de *Guerre et Paix,* c'est avant tout la guerre et la paix de l'âme, de l'esprit et du corps, de l'amour et de la haine, de l'instinct et de la conscience, du naturel et du moral, de la femme et de l'homme,

---

22. Dragan Nedeljković, « Quelle est ma foi et l'idéal de la vie authentique selon Tolstoï » dans *Cahiers Léon Tolstoï,* n° 2, Institut d'études slaves, Paris, 1985, p. 15.

de l'homme et de l'homme, de la femme et de la femme. Ces guerres et paix intérieures, intimes, se transforment en guerre et paix des peuples pour s'étendre jusqu'à l'éternel, jusqu'à ce qu'il y a de plus fort : la guerre et la paix entre la vie et la mort. Autrement dit : entre le bonheur et le malheur [23]. » La leçon que veut délivrer Tolstoï dans *Guerre et Paix*, c'est l'absurdité de l'égoïsme charnel et matériel. La guerre et ses conséquences obligent à penser qu'il faut chercher la paix en soi-même et dans la relation avec l'autre. Or, cette paix ne peut être acquise que par la découverte du monde comme un tout cohérent créé par Dieu. Pierre Bezukhov découvre, dans son expérience de la guerre, l'importance de l'amour et la nécessité de la bonté. De même, il découvre que Dieu est la vie et qu'il n'y aurait pas une quête de la vraie vie sans la quête de Dieu.

Tolstoï nous décrit avec un grand talent cette idée de Dieu vivant dans le chapitre 13 du livre IV de *Guerre et Paix* : « Il [Pierre] ne pouvait plus avoir de but parce qu'il avait maintenant la foi – non la foi en certaines règles particulières ou certaines idées, mais la foi en un Dieu vivant, toujours pressenti. Autrefois, il cherchait Dieu dans le but qu'il se fixait ; cette recherche n'était rien d'autre que la recherche de Dieu. Et soudain, durant sa captivité, il avait découvert, non par des paroles, non par des raisonnements, mais par une sorte de révélation intime, ce que sa vieille nounou lui disait autre fois : que Dieu est ici, là, partout [...]. Autrefois, il n'avait su voir nulle part cette grandeur inaccessible, infinie. Il ne faisait que la pressentir ; elle devait exister quelque part, et il la cherchait. Tout ce qui lui était proche, compréhensible, lui paraissait borné, mesquin, banal, absurde [...]. Maintenant, il avait appris à voir la grandeur, l'éternel, l'infini en tout afin de contempler ce tout, de jouir de sa contemplation, il abandonnerait la longue-vue avec laquelle il avait regardé jusque-là par-dessus les têtes des hommes ; et c'est avec joie qu'il contemplait autour de

23. Dragan Nedeljković, « Tolstoï et le bonheur », *Tolstoï aujourd'hui,* Institut d'études slaves, Paris, 1980, p. 84.

lui le spectacle de la vie éternellement changeant, éternellement grand, inaccessible, infini [24]. »

Si l'on s'arrêtait à ces seuls passages de *Guerre et Paix,* on pourrait tenir la vision anthropologique de Tolstoï pour une vision optimiste de la destinée humaine. Celle-ci est à la fois présentée dans diverses actions de certains héros tolstoïen, comme Pierre dans *Guerre et Paix* ou Constantin Levine dans *Anna Karenine,* mais aussi dans la foi de Tolstoï lui-même. Souvent, Tolstoï énonce, à travers ses héros, que l'homme, naturellement bon, est corrompu à cause de la civilisation moderne, mais aussi parce qu'il subit la politique de l'Église ou de l'État. Reste que, pour Tolstoï, l'homme peut acquérir à nouveau cette bonté originelle. La quête de Dieu n'est possible que parce que l'homme est naturellement capable de chercher la nature divine. Une quête dont l'aventure est incertaine, car « c'est la civilisation elle-même qui est en cause ; c'est elle qui tue l'esprit, étouffe les voix de la nature, nous fait oublier les évidences fondamentales dont nous avons besoin pour vivre [25] ».

La doctrine du Christ apparaît aux yeux de Tolstoï comme une source morale et religieuse qui permet à l'homme de retrouver sa bonté originelle et inutile. Elle est la seule arme qui permette à l'homme de surmonter le mensonge de la vie égoïste et l'obstacle absurde de la mort. Car « l'essence de toute foi, nous dit Tolstoï, consiste en ce qu'elle donne à la vie un sens qui n'est pas anéanti par la mort [...]. Quelles que soient les réponses que donne à quiconque une foi, quelle qu'elle soit, toute réponse apportée par la foi donne à l'existence finie de l'homme le sens de l'infini – un sens que ne peuvent détruire les souffrances, les privations, et la mort. Donc c'est dans la foi seule que l'on peut trouver le sens de la vie et la possibilité de vivre. Et je compris que la foi, dans sa signification la plus essentielle, n'était pas seulement "la représentation des choses invisibles", n'était pas la révélation (qui n'est que la description de l'un des indices de la foi), n'était pas seule-

24. L. Tolstoï, *Guerre et Paix,* Gallimard, « Pléiade », Paris, p. 1450-1451.
25. Michel Aucouturier, *Tolstoï, op. cit.,* p. 50.

ment le rapport de l'homme à Dieu (il faut définir la foi d'abord, et Dieu ensuite, et non définir la foi par Dieu), n'était pas seulement l'accord avec ce que l'on avait dit à l'homme, comme on la conçoit le plus souvent – la foi est cette connaissance du sens de la vie humaine grâce à laquelle l'homme ne se détruit pas, mais vit. La foi est la force de la vie [...]. Sans foi, on ne peut pas vivre [26]. » Cet extrait des *Confessions* de Tolstoï explique à lui seul toute la raison de la conversion profonde de Tolstoï à la fin de sa vie.

Pour mieux vivre la quête de Dieu, Tolstoï décide de renoncer à son mode de vie aristocratique ; il refuse le service de ses domestiques, lave son propre linge, travaille dans les champs, apprend le métier de cordonnier, adopte le costume paysan et décide de ne plus fumer, de ne plus boire d'alcool et de ne plus manger de viande. Son seul but c'est d'être au service des hommes créés à l'image de Dieu. Pourtant, Tolstoï demeure en conflit avec l'Église orthodoxe russe, qui décide d'abord, en avril 1900, de le priver de la sépulture chrétienne et des prières de l'Église lors de son décès, puis prononce finalement, le 22 février 1901, son excommunication, l'accusant de se révolter contre Dieu et de renier l'Église orthodoxe. L'exclusion entraîne de très vives protestations dans le monde entier, confirmant l'immense popularité de Tolstoï. Quelques semaines plus tard, l'écrivain russe fait sa profession de foi, en rendant publique sa réponse aux attaques du saint-synode. « Je vois, écrit Tolstoï, que le vrai bien de l'homme est dans l'accomplissement de la volonté de Dieu, laquelle est que les hommes s'aiment et agissent envers les autres comme ils désirent que les autres agissent envers eux ; ce qui est, dit l'Évangile, toute la foi et les prophètes. Je crois que le sens de la vie, pour chacun de nous, est seulement d'accroître l'amour en lui. Je crois que cet accroissement de l'amour vaudra, dans cette vie, un bonheur qui grandira chaque jour et, dans l'autre monde, une félicité d'autant plus parfaite que nous avons appris à aimer

---

26. L. Tolstoï, *Confessions ;* cité dans Michel Aucouturier, *Tolstoï, op. cit.,* p. 142-143.

davantage. Je crois en outre que cet accroissement de l'amour contribuera, plus que toute autre force, à instaurer ici-bas le royaume de Dieu, c'est-à-dire à remplacer l'organisation de la vie où la division, le mensonge et la violence sont tout-puissants, par un nouvel ordre où régneront la concorde, la vérité, la fraternité. Je crois que pour progresser dans l'amour il n'y a qu'un moyen : la prière. Non pas la prière publique dans les temples, que le Christ a formellement réprouvée (Matthieu, VI, 5-13), mais la prière qui consiste à rétablir, à raffermir en soi la conscience du sens de notre vie et le sentiment que nous avons de dépendre de la volonté de Dieu [27]. »

Tolstoï s'oppose donc à l'Église orthodoxe, non parce qu'elle s'est révoltée contre Dieu, mais parce qu'elle se dit au service de Dieu sans l'être vraiment. Il oppose ainsi les principes dogmatiques de l'Église orthodoxe russe au message de Jésus. En d'autres termes, pour lui, l'essence du christianisme unit la non-résistance au mal et l'amour du prochain. Ce qu'il prêche, on le voit, n'est donc pas une action destinée à détruire l'Église, mais c'est une tentative pour renforcer la foi par la voie de l'humilité, du dépouillement et de la non-violence. Dans sa quête de l'absolu, Tolstoï cherche le christianisme à sa source même, dans la parole du Christ, en rejetant toutes les interprétations. Pris en tenaille entre son élan mystique et sa crainte de perdre Dieu, Tolstoï a fini par choisir la retraite et la solitude, loin de sa famille et de son domaine seigneurial.

Le 28 octobre 1910, Tolstoï quitte sa maison natale pour chercher refuge au monastère d'Optino et se préparer à la mort. Dans une lettre à sa femme, il explique sa fuite : « Mon départ te fera de la peine. Je le regrette, mais comprends-moi et crois bien que je ne puis agir autrement. Ma situation à la maison devient, est déjà devenue intolérable, sans parler de tout le reste ; je ne puis continuer à vivre dans le luxe qui m'a entouré jusqu'à présent, et je fais

---

27. L. Tolstoï, « Réponse à l'arrêté synodal », dans A. M. Curré, « La quête évangélique de Tolstoï », dans *Tolstoï aujourd'hui, op. cit.,* p. 16.

ce que font d'ordinaire les vieillards de mon âge : ils renoncent au monde, pour vivre dans la solitude et le recueillement les derniers jours de leur existence [28]. » Deux jours après avoir écrit cette lettre, Tolstoï s'installe chez sa sœur dans le monastère voisin, à Chamardino. Sa fille Alexandra, qui était venue le rejoindre, lui conseille de partir pour ne pas être découvert par sa femme. Fatigué, Tolstoï tombe malade dans le train ; on l'héberge dans la salle d'attente de la petite gare d'Astapovo. La nouvelle de la maladie de Tolstoï fait le tour du monde. Journalistes et photographes envahissent la petite gare pour donner régulièrement des nouvelles de sa santé. Le 4 novembre, le métropolite de Saint-Pétersbourg envoie sa bénédiction à Tolstoï en lui demandant de se réconcilier avec l'Église. Trop tard. Tolstoï meurt le 7 novembre 1910, à 6 heures du matin, en murmurant ces dernières paroles : « La vérité... J'aime beaucoup... »

Ainsi prenait fin la dernière quête de Tolstoï. Il laissait au monde un véritable testament spirituel, auquel, selon la phrase de Romain Rolland, « Gandhi a donné, par l'action héroïque de sa vie tout entière, la consécration [29] ». Gandhi est toujours resté fidèle à cet héritage de Tolstoï en renouvelant souvent sa dette envers lui. « Tolstoï, écrira Gandhi des années plus tard, est le plus grand apôtre de la non-violence que notre époque ait connu. Personne en Occident, avant lui ou depuis, n'a écrit ou parlé à propos de la non-violence d'une manière si magistrale et avec autant d'insistance, de pénétration et de perspicacité [30]. »

28. Cité dans Daniel Gillés, *Tolstoï,* Julliard, Paris, 1959, p. 311.
29. R. Rolland, « Lettre à Tatiana Tolstoï » (1927), dans *Cahiers Romain Rolland,* n° 24, Albin Michel, Paris, 1978, p. 167.
30. M. K. Gandhi, *Tous les hommes sont frères,* Gallimard, Paris, 1990, p. 292.

## Chapitre III

# *Gandhi et le* Hind Swaraj

Nous avons souligné, dans le premier chapitre de cette troisième partie, l'influence profonde et décisive de l'œuvre de Tolstoï sur le jeune Gandhi. Cette influence trouve son point culminant dans la critique tolstoïenne de la civilisation moderne, qui a été reprise plus tard par Gandhi.

« La vie parmi les nations chrétiennes, écrit l'auteur de *Guerre et Paix,* est actuellement épouvantable. Surtout en l'absence d'un principe moral unificateur et la présence de l'irrationalité qui, malgré tous les progrès intellectuels, abaissent toutes les nations en dessous du niveau animal. Mais surtout en considérant la complexité du mensonge institué qui cache au peuple la misère et la cruauté de sa vie [1]. » Cette critique radicale de la société moderne au cœur de la pensée tolstoïenne de la résistance au mal par la non-violence est au centre de l'ouvrage de Gandhi, *Hind Swaraj.*

*Hind Swaraj* est sans aucun doute l'œuvre majeure de la philosophie gandhienne. Mais elle est aussi son ouvrage le plus controversé. Il a suscité un grand nombre de commentaires. Énumérons quelques-unes des analyses critiques de *Hind Swaraj :*

Anthony J. Parel dans son introduction à l'édition anglaise, en fait l'éloge : «*Hind Swaraj* est la graine à partir de laquelle

---

1. L. Tolstoy, « The Law of Love and the Law of Violence » dans *A Confession and other Religious Writings,* Penguin Books, Londres, 1987, p. 166.

l'arbre de la pensée gandhienne a grandi jusqu'à sa taille finale. Pour ceux qui sont intéressés par la pensée de Gandhi, c'est le meilleur endroit pour commencer, car c'est ici que Gandhi présente ses idées de base dans leur propre relation les unes aux autres [2]. » Pour James D. Hunt, *Hind Swaraj* est « le livre le plus puissant de Gandhi » et « son œuvre la plus imaginative et la plus idiosyncratique [3] ». Quant à Dennis Dalton, il déclare : « Les idées principales qui ont émergé de l'expérience sud-africaine de Gandhi sont rassemblées dans son petit livre, *Hind Swaraj,* qui est sans doute l'un des écrits clefs de toute sa carrière [4]. » Partha Chatterjee, pour sa part, considère *Hind Swaraj* comme « le fondement théorique le plus crucial de la stratégie victorieuse du *swaraj* gandhien en Inde [5] ». Enfin, Rajmohan Gandhi, le petit-fils de Mahatma, dans un livre en hommage à son grand-père écrit : « *Hind Swaraj* est un écrit pour son temps, non pas un écrit pour tous les temps [...]. Toutefois aucune étude sur la rencontre historique entre la civilisation indienne et la civilisation occidentale ne peut négliger *Hind Swaraj* [6]... »

Mis à part ces louanges, les avis sont plus que partagés sur ce petit ouvrage de Gandhi, et sans doute, selon nous, *Hind Swaraj* est l'œuvre la plus mal comprise du XXe siècle.

Pour beaucoup de critiques, *Hind Swaraj* est un livre utopiste et rétrograde, qui prêche la révolte contre la science, le machinisme et la civilisation moderne. D'autres insistent pour lire ce livre comme un traité spirituel où Gandhi expose le noyau de ses idées religieuses. Nous considérons ces deux analyses comme

---

2. Anthony J. Parel, Introduction à l'édition anglaise de *Hind Swaraj,* Cambridge University Press, Cambridge, 1997, p. XIII.
3. James D. Hunt, *Gandhi in London,* Promilla & Co. Publishers, New Delhi, 1993, p. 147-148.
4. Dennis Dalton, *Mahatma Gandhi, Non Violent Power in Action, op. cit.,* p. 16.
5. Partha Chatterjee, *National Thought in the Colonial World,* Zed Books Londres, 1986, p. 87.
6. Rajmohan Gandhi, *The Good Boatman,* Viking, New Delhi, 1995, p. 139.

fausses, ou pour le moins incomplètes. Même s'il possède un ton spirituel, *Hind Swaraj* n'est pas un livre religieux. Ensuite, parce que malgré la critique sévère de la technoscience et du machinisme, *Hind Swaraj* n'en est pas pour autant un livre utopiste et rétrograde. Pour Gandhi, le *swaraj*, c'est-à-dire l'autonomie, n'est pas un rêve, mais une réalité. En exposant ses idées, Gandhi est conscient du fait qu'il ne prêche pas pour un hypothétique avenir radieux, mais qu'il part de la réalité contemporaine. Il serait donc plus juste de considérer *Hind Swaraj* comme une œuvre conjoncturelle, plutôt que comme un manifeste utopiste. Cependant, si la nature conjoncturelle de cette œuvre constitue sa force, elle fait malheureusement aussi sa faiblesse. Sa force, parce qu'elle est devenue la pierre angulaire de toute la pensée gandhienne de la non-violence, et le fer de lance de toute la lutte indienne pour l'indépendance. Mais aussi sa faiblesse, car elle reste néanmoins une œuvre marquée par son temps et par les débats de son époque. Il nous est, par exemple, difficile d'accepter certains passages de ce livre où Gandhi affirme que « la tendance de la civilisation indienne est d'élever l'être moral, tandis que celle de la civilisation occidentale est de propager l'immoralité. La dernière est une civilisation sans Dieu, alors que la première est fondée sur la croyance en Dieu [7] ». Aujourd'hui, aucune pensée ne peut se permettre de rejeter toute une civilisation en la considérant comme immorale ou sans Dieu. Une telle attitude va à l'encontre des principes de tolérance et de dialogue qui ont été fondés par des hommes comme Gandhi. D'ailleurs, il était lui-même conscient de ce fait. C'est la raison pour laquelle il note en 1929 : « Ce n'est pas du tout le but de conclure que tout ce qui est occidental est mauvais. J'ai beaucoup appris de l'Occident [8]. » Et en 1936, dans une lettre de recommandation pour Kamalnayan Bajaj, il écrit à H. S. Polak : « Même si nous

---

7. M. K. Gandhi, *Hind Swaraj,* Cambridge University Press, Cambridge, 1997, p. 71.
8. M. K. Gandhi, *Collected Works,* vol. XL, *op. cit.,* p. 300.

luttons contre la Grande-Bretagne, il n'empêche que Londres est en train de devenir de plus en plus notre Mecque ou notre Kashi [...]. J'ai conseillé à Kamalnayan de s'inscrire à un cours à la London School of Economics. Pourriez-vous le mettre en relation avec le professeur Laski, qui accepterait d'aider le jeune Bajaj [9] ? »

On le voit, il serait inexact de considérer Gandhi comme un penseur anti-occidental. Toute notre tâche dans cette étude est de montrer le contraire. Car bien que critique sévère de certains aspects de la civilisation occidentale moderne, Gandhi reste en grande partie influencé par la pensée politique, philosophique et religieuse de l'Occident. *Hind Swaraj* est l'œuvre qui confirme cette analyse. C'est un traité politique, où Gandhi développe ses idées principales sur le *swaraj* (l'autonomie), mais aussi sur la non-violence comme le moyen le plus civilisé, mais aussi le plus sûr pour accéder à l'indépendance.

Pour évaluer un peu plus en détail la valeur de l'ouvrage, il faut jeter un regard plus précis sur sa période d'incubation et de rédaction. Quel est, en effet, le contexte historique, mais aussi intellectuel dans lequel ce livre voit le jour ?

Nous l'avons précisé, *Hind Swaraj* est un livre conjoncturel, car les questions posées dans *Hind Swaraj* appartiennent toutes à la période sud-africaine de Gandhi.

C'est en Afrique du Sud, où il séjourne de 1893 à 1914, que Gandhi organise ses premières campagne du *Satyagraha*. C'est en avril 1893 qu'il embarque pour l'Afrique du Sud, où il est employé par Dada Abdullah et Cie, une firme indienne du Natal. Quelques jours après son arrivée, Gandhi se rend à Pretoria pour défendre Abdullah Sheth dans un procès. Pour se rendre de Durban à Pretoria, Gandhi s'installe dans un compartiment de première classe. Sur le coup de neuf heures du soir, la police sud-africaine l'expulse de son compartiment en direction du fourgon. Refusant de s'y installer, Gandhi est abandonné avec ses bagages sur le quai de la gare de Maritzburg. C'est ainsi que Gandhi découvre qu'il

---

9. M. K. Gandhi, *Collected Works,* vol. LXIII, *op. cit.,* p. 122.

n'a aucun droit humain parce qu'il est indien. « Où était le devoir pour moi ? écrira-t-il plus tard dans son *Autobiographie*. Fallait-il lutter pour défendre mes droits ? Retourner dans mon pays ? Poursuivre ma route jusqu'à Pretoria en ignorant les affronts, puis rentrer en Inde, le procès terminé ? Repartir précipitamment pour l'Inde sans m'acquitter de mes obligations, aurait été lâcheté. Le traitement injuste que l'on m'infligeait n'était que superficiel, pur symptôme du malaise profond qu'entretenait le préjugé racial. Il fallait essayer, si possible, d'extirper le mal, quitte à souffrir l'injustice en cours de route [10] [...] » Gandhi décide donc de rester et de lutter contre les exactions cruelles auxquelles étaient exposés quotidiennement les Indiens en Afrique du Sud.

Le 22 mai 1894, il fonde le Congrès indien du Natal, afin de rassembler les hindous, les musulmans, les parsis et les chrétiens. De retour en Inde en 1896, il consacre son temps à alerter l'opinion indienne sur le sort de leurs compatriotes en Afrique du Sud. À cette occasion il rencontre Gopal Krishna Gokhale (1866-1915), l'un des grands leaders du nationalisme indien, qu'il considérera par la suite comme son maître politique. De retour à Durban, Gandhi reprend son travail d'avocat.

Durant trois ans, il défend la cause de ses compatriotes au barreau de Durban. C'est alors qu'éclate la guerre des Boers. Pour faire preuve de loyalisme à l'égard de l'Empire britannique, Gandhi organise un corps d'ambulanciers indiens qui servent dans le rang des Anglais. Le 18 octobre 1901, Gandhi s'embarque à nouveau pour l'Inde où il assiste pour la première fois à une session du Congrès indien, dans lequel il devait jouer plus tard un rôle décisif. Rappelé en Afrique du Sud, il s'inscrit comme avocat à la Cour suprême de Johannesburg et lance, en 1904, son journal *Indian Opinion,* dont il devient le principal rédacteur. En avril 1906, suite à une révolte des Zoulous, Gandhi forme à nouveau un corps d'ambulanciers indiens qu'il met à la disposition du gouvernement du Natal.

---

10. M. K. Gandhi, *Autobiographie, op. cit.,* p. 143.

Les trois années qui suivent marquent en quelque sorte la période de l'évolution intérieure de Gandhi, pendant laquelle il fait la connaissance, nous l'avons vu, des livres de Ruskin, de Thoreau, de Tolstoï, de Carlyle, etc. Il lit aussi le « Sermon sur la montagne » et la *Bhagavad-Gîtâ* qui lui vont droit au cœur. Le Nouveau Testament anime en lui un nouveau souffle spirituel, mais c'est surtout la lecture de Tolstoï et son interprétation des Évangiles qui renforce son premier pressentiment de la non-violence en donnant à ce concept toute sa pertinence politique et religieuse. Ainsi Gandhi lit Tolstoï comme il lit Ruskin et Thoreau, c'est-à-dire dans un esprit de libre examen, mais surtout à la lumière de ses propres expériences en Afrique du Sud. Tantôt en prison et tantôt en négociation avec les responsables du gouvernement sud-africain, le combat de Gandhi pour l'abrogation des lois est marqué par de nombreux événements.

Le 25 février 1909, Gandhi est condamné à trois mois de prison avec travaux forcés, mais il est libéré le 24 mai. Le 23 juin de la même année, Gandhi part pour Londres où il arrive le 10 juillet. Neuf jours à peine avant son arrivée à Londres, sir Curzon Wyllie est abattu par un jeune terroriste indien, Madanlal Dhingra. L'assassinat a un grand retentissement. Cependant, la communauté indienne de Londres est partagée sur ce meurtre. Deux groupes d'indépendantistes indiens dominent : les anarchistes et les nationalistes libéraux. À cette époque, un grand nombre de révolutionnaires indiens expatriés à Londres sont attirés par les idées nihilistes et marxistes. Certains d'entre eux sont même des sympathisants des sociétés secrètes indiennes comme « Abhinav Bharat » de Bombay ou « Anusilan Samiti » du Bengale, qui prêchent le terrorisme comme un moyen de lutte efficace contre le colonialisme britannique.

Parmi les expatriés indiens, deux hommes sont des figures importantes du nationalisme extrémiste indien. Le premier, Shyamji Krishnavarma (1857-1930), originaire du Gujarat, était diplômé d'Oxford et un adepte des idées de Herbert Spencer, en l'honneur de qui il reçut une chaire annuelle à Oxford entre 1905 et 1910. Krishnavarma était aussi le fondateur de la « Maison de l'Inde » (India House) à Londres, où Gandhi était pensionnaire lors de son passage, en 1906. Mais le rôle le plus significatif joué par Krishnavarma était celui de directeur de publication et le rédacteur en chef du mensuel révolutionnaire *The Indian Sociologist,* fondé en 1905 à Londres. Ce mensuel s'était donné pour but de propager des idées de Spencer parmi les Indiens. Suspecté de terrorisme, Krishnavarma quitta Londres pour Paris, en 1907, et continua à publier son mensuel dans la capitale française. Quant à la « Maison de l'Inde », elle fut fermée en 1909 après l'assassinat de sir Curzon Wyllie.

La deuxième figure révolutionnaire indienne dont le nom apparaît souvent à côté de Krishnavarma est V. D. Savarkar (1883-1966). Savarkar était venu à Londres en 1906 sur la recommandation de Tilak, une autre grande figure du Congrès indien. Il a été notamment le traducteur, en Marathie, d'une biographie de Mazzini reprise de l'anglais, et d'un livre sur la *Guerre d'indépendance indienne de 1857,* publié à Londres en mai 1909.

Savarkar avait une grande influence sur Dhingra, l'assassin de sir Curzon Wyllie, qui participait à des réunions organisées à la « Maison de l'Inde » de Londres. Savarkar a été arrêté et déporté peu après l'assassinat de sir Curzon Wyllie.

Gandhi avait rencontré Krishnavarma et Savarkar à Londres et il avait participé aux discussions animées entre les modérés et les extrémistes indiens à la « Maison de l'Inde ». Certains biographes de Gandhi (comme Dhananjay Kerr) considèrent même que *Hind Swaraj* est une réponse aux idées de Savarkar et de Krishnavarma. Sans doute, mais *Hind Swaraj* est d'abord un manifeste où Gandhi développe ses propres idées morales et politiques. Toutefois, il ne faut pas oublier de préciser la divergence profonde qui existait à l'époque entre Gandhi et les partisans extrémistes du mensuel *The Indian Sociologist*. Dans un article écrit en 1913, Krishnavarma dénoncera la philosophie de la non-violence chez Gandhi comme une pensée subversive. Trente-cinq ans plus tard, celui qui sera accusé du meurtre de Mahatma

Gandhi se réclamera directement des idées fanatiques de V. D. Savarkar. *Hind Swaraj* est donc aussi un livre prophétique où Gandhi anticipe non seulement son entrée sur la scène politique de l'Inde, mais prépare, sans le savoir évidemment, une réponse à ceux qui deviendront plus tard ses assassins.

C'est lors de son voyage de retour en Afrique du Sud que Gandhi a écrit *Hind Swaraj*. C'est aussi pendant le même voyage qu'il entreprend la traduction de la célèbre lettre de Tolstoï à Taraknath Das (1884-1958) qu'il intitulera *Lettre à un hindou.*

Das, un étudiant hindou, vivant à Vancouver, éditeur d'une revue révolutionnaire intitulée *Free Hindustan,* avait écrit à Tolstoï en 1908 pour demander son soutien dans sa lutte contre les Anglais. Or, Tolstoï, tout en refusant les idées extrémistes de Das, lui avait conseillé d'entreprendre une stratégie de non-coopération contre la présence des Anglais en Inde. C'est Gandhi, en fait, qui écoutera le message de Tolstoï et c'est pourquoi il va se décider à lui envoyer un exemplaire de *Hind Swaraj,* qui est donc un texte directement écrit sous l'influence de Tolstoï. On en trouve confirmation dans la préface rédigée par Gandhi pour la traduction anglaise. Dans cette préface, le nom de Tolstoï est cité à deux reprises, une première fois à côté des noms des autres maîtres à penser de Gandhi, et une deuxième fois comme celui qui est à l'origine de l'élaboration de *Hind Swaraj :* « Même si les points de vue exprimés dans *Hind Swaraj* sont tenus par moi, écrit Gandhi, je n'ai fait que suivre humblement Tolstoï, Ruskin, Thoreau, Emerson et d'autres écrivains [...] Tolstoï a été mon maître durant de longues années. Ceux qui veulent voir une vérification des points de vue mis en avant dans les chapitres qui suivront la trouveront dans les travaux des maîtres nommés ci-dessus [11]. » Un peu plus loin dans son introduction à ce livre, Gandhi affirme : « Ces points de vue sont les miens, mais en même temps ils ne le sont pas. Ils sont les miens, parce que j'espère pouvoir agir selon eux. Ils font presque partie de mon être. Mais pourtant, ils ne sont pas

11. M. K. Gandhi, *Hind Swaraj, op. cit.,* p. 6.

les miens, car je ne peux prétendre les posséder. Ils ont été formés après la lecture de quelques livres [12]. »

Conscient des influences qui ont orienté la rédaction de *Hind Swaraj,* Gandhi reste aussi attentif à la tâche qu'il s'est donnée en l'écrivant : « Le seul motif est de servir mon pays, de chercher la vérité et de la suivre [13]. » Seize ans plus tard, le 26 novembre 1925, Gandhi reprendra le même thème dans l'introduction de son *Autobiographie :* « La vérité dont il s'agit ici n'est pas seulement véracité des verbes, mais véracité de la pensée aussi bien, ni seulement vérité relative comme nous la concevons, mais vérité absolue, principe éternel, qui est Dieu. Il existe d'innombrables définitions de Dieu, parce que ses manifestations sont innombrables. Elles me terrassent d'étonnement, de respect et de peur, et pour un moment me laissent muet. Mais j'adore Dieu comme vérité seulement. Je ne l'ai pas encore trouvé, mais je le cherche sans relâche. Je suis prêt à sacrifier ce que j'ai de plus cher à la poursuite de cette quête [...]. Que meurent par centaines les hommes comme moi ; mais que la vérité demeure, et l'emporte. N'allons pas dégrader la vérité, ne serait-ce que d'un fil, pour juger d'humbles mortels de mon espèce, sujets à l'erreur [14]. » Le concept de vérité, pourtant, n'apparaît pas souvent dans les pages qui constituent *Hind Swaraj.* Il ne sera développé que dans la période indienne des écrits de Gandhi. En revanche, il revient à plusieurs reprises sur l'idée tolstoïenne de la force de l'amour. « L'univers, écrit-il dans *Hind Swaraj,* disparaîtra sans l'existence de cette force [15]. » La force de l'amour est pour Gandhi la force de l'âme. Il l'oppose ainsi à la force brute qui n'est, d'après lui, rien d'autre que la force physique. Ce que défend Gandhi dans *Hind Swaraj,* c'est la supériorité morale de la non-violence, symbolisée par la force de l'âme. Ainsi tout le succès de l'éthique

---

12. M. K. Gandhi, *Hind Swaraj, op. cit.,* p. 10.
13. *Ibid.,* p. 11.
14. M. K. Gandhi, *Autobiographie, op. cit.,* p. 4-5.
15. M. K. Gandhi, *Hind Swaraj, op. cit.,* p. 89.

de la non-violence dépend selon lui de la manière dont chacun arrive à maîtriser son corps et son esprit. Sans cette maîtrise de soi, nous dit Gandhi, il serait tout à fait vain et inutile de parler de l'autonomie en Inde. Il y a donc un lien indissociable chez Gandhi entre le *swaraj* du peuple et le *swaraj* individuel. En d'autres termes, le *swaraj* du peuple est la somme totale des *swarajs* des individus. Chaque fois que Gandhi parle du *swaraj,* il met l'accent sur la liberté sociale et politique de l'individu, car, dit-il, « si l'individu cesse d'être important, que restera-t-il de la société ? Seule la liberté individuelle pourrait inciter un homme à se vouer complètement au service de la société. Si on lui retire cette liberté, il devient un automate et la société tombe en ruine. Aucune société ne peut être bâtie sur l'assujettissement de la liberté individuelle. C'est contraire à la nature même de l'homme [16]. » Il est dès lors plus important d'être libre et de commettre des erreurs, que d'être esclave et être dans le vrai. Le *swaraj* par la non-violence ne doit pas mettre en danger la liberté des individus. C'est la raison pour laquelle Gandhi persiste à dire que « même ceux qui croient à la violence [...] auront le droit de la prêcher et de la pratiquer après que nous aurons acquis le *swaraj* par la non-violence [17]. » Le premier pas du *swaraj* réside donc dans l'individu lui-même. Seul celui qui arrive à une maîtrise de soi, c'est-à-dire à un *swaraj* individuel, pourrait participer à un *swaraj* au plan national. Le *swaraj* n'est ni un rêve ni une utopie. « C'est, écrit-il dans *Hind Swaraj,* quand nous apprenons à nous gouverner [18]. » Or l'homme ne peut atteindre cet état de *swaraj* qu'en maîtrisant la technique du sacrifice de soi. Ce n'est donc qu'en se sacrifiant et en s'appuyant sur la force de l'âme qu'un *satyagrahi* pourrait désobéir aux lois injustes d'un gouvernement. *Swaraj* est ainsi inséparable du *Satyagraha.* Nous pouvons même aller plus loin et dire que chez Gandhi le *Satyagraha* est lui-même

---

16. M. K. Gandhi, *Collected Works,* vol. LXXIII, *op. cit.,* p. 93-94.
17. *Ibid.,* p. 24.
18. M. K. Gandhi, *Hind Swaraj, op. cit.,* p. 73.

un processus vers le *swaraj.* En d'autres termes, celui qui prend le chemin de la non-violence s'engage des le départ dans le processus du *swaraj.* C'est pourquoi, dit Gandhi, « il me semble que la tentative de gagner le *swaraj* est elle-même un *swaraj.* Plus rapidement nous courons vers le *swaraj,* plus la distance qui reste à parcourir nous semble longue [19]. » Le *swaraj* est donc un effort continu d'émancipation à l'égard de toute autorité qui impose ses lois à l'individu. La théorie gandhienne du *swaraj,* on l'a compris, va bien au-delà de l'indépendance des Indiens face aux Britanniques. Elle est universelle.

Composé sous forme d'un dialogue entre un « lecteur » – un Indien anarchiste et partisan de la violence – et un « éditeur » qui exprime les idées de Gandhi lui-même comme une réponse aux différentes thèses des nationalistes extrémistes indiens –, *Hind Swaraj* possède un horizon de pensée plus large que le simple contexte de la lutte contre le colonialisme britannique. Peut-être Gandhi est-il plus inquiet de la vision du monde des futurs gouvernants indiens de l'Inde, que de la politique coloniale des Britanniques. « Mes concitoyens croient qu'ils doivent adopter la civilisation moderne et les méthodes modernes de la violence pour se débarrasser des Anglais. *Hind Swaraj* a été écrit pour montrer qu'ils suivent une politique suicidaire ; mais s'ils retournent à leur civilisation glorieuse, ou bien les Anglais adopteront cette civilisation et seront indianisés, ou bien ils cesseront d'occuper l'Inde [20]. »

Si Gandhi oppose la civilisation indienne, qui est selon lui celle du *satyagraha,* à la civilisation occidentale moderne, qui représente la violence, il est important de savoir qu'il fait aussi une distinction entre le « peuple britannique » et la « civilisation britannique moderne ». Le « peuple britannique » est un peuple bon par nature, mais corrompu par la civilisation moderne. Il

---

19. Cité dans Margaret Chatterjee, *Gandhi's Religious Thought, op. cit.,* p. 158.
20. M. K. Gandhi, *Hind Swaraj, op. cit.,* p. 7.

pense donc comme Tolstoï que les peuples européens sont corrompus par le processus de déchristianisation dans lequel s'est engagée l'Europe moderne. « Cette civilisation est fondée sur l'absence de religion ; elle a une telle maîtrise sur les peuples en Europe que ceux qui la subissent semblent être à moitié fous [21]. » Gandhi utilise ici un ton dur et porte un jugement très sévère sur la civilisation européenne moderne, reprenant le jugement tolstoïen qui nous paraît d'ailleurs rigoureux.

Dans une lettre écrite en novembre 1906 à Paul Sabatier, Tolstoï déclare : « Le mouvement religieux, qui se produit à présent non seulement dans le monde catholique, mais aussi dans le monde entier, n'est selon moi pas autre chose que les douleurs d'enfantement d'un dilemme : d'un côté la religion chrétienne avec ses exigences de la soumission à Dieu, d'amour du prochain, l'humilité et, de l'autre, l'État, avec les conditions indispensables de son existence : soumission au gouvernement, patriotisme, loi du talion, et l'existence de l'armée avec son service obligatoire. Il me paraît qu'en France il y a une tendance à résoudre le dilemme en faveur de l'État contre la religion, non seulement contre le catholicisme, mais contre la religion en général qui est enseignée par la majorité des classes dirigeantes comme un élément de passé inutile et plutôt pernicieux que bienfaisant pour le bien-être des hommes de notre époque [...]. Il faudra choisir : ou bien renier complètement le vrai sens de la religion chrétienne, détruire les derniers vestiges des idées d'amour du prochain, d'humilité, de fraternité, comme le font déjà des hommes du monde européen, et opposer un patriotisme féroce et une obéissance servile au patriotisme et à l'obéissance passive des Orientaux ; ou bien accepter pour tout de bon les vrais principes chrétiens d'amour du prochain, d'humilité, de non-résistance au méchant, à la violence, et se fier non à la force physique, mais à la volonté de Dieu, pleinement convaincus que le plus grand bien de l'homme et de l'humanité ne s'acquiert que par la soumission

---

21. M. K. Gandhi, *Hind Swaraj, op. cit.,* p. 37.

à la loi éternelle, révélée en notre conscience, quoique les voies par lesquelles ce bien peut être acquis nous soient cachées et incompréhensibles [...] [22] »

En lisant ces phrases de Tolstoï, nous entendons l'écho du *Hind Swaraj.* Rien de surprenant puisque, comme nous l'avons vu, Gandhi ne cache pas ses affinités intellectuelles avec Tolstoï qu'il cite à la fin du *Hind Swaraj,* mentionnant six livres de Tolstoï en guise d'appendices.

La thèse principale développée par Gandhi dans *Hind Swaraj* montre que l'Inde, sous la domination de la civilisation britannique moderne, est en train de devenir un pays sans religion. Et Gandhi invite ses concitoyens à se battre pour la continuité de la nation indienne. Une « nation » qu'il ne confond pas avec l'État. Pour lui, il n'y a aucune équivalence entre la nation indienne et l'État indien. « Les Anglais, écrit-il, nous ont appris que nous n'étions pas une nation avant leur arrivée, et qu'il faudra des siècles pour qu'on en devienne une. C'est une idée sans fondement. Nous étions une nation avant leur arrivée en Inde. Une seule pensée nous guidait. Notre mode de vie était le même. C'est parce que nous étions une nation qu'ils ont réussi à établir un seul royaume. Après ils nous ont divisés [23]. » Aux yeux de Gandhi, la division entre les Indiens constitue le malheur de l'Inde. Il faut donc chercher à réunir les Indiens face aux Britanniques, mais aussi contre les méfaits de la civilisation moderne. Cette réunion passe par le respect du « pluralisme religieux ». La survie de l'Inde dépend de la tolérance mutuelle entre les différentes communautés religieuses. « L'Inde dit Gandhi, ne peut pas cesser d'être une nation, seulement parce que des gens avec des religions différentes y vivent [...]. L'Inde a toujours été un tel pays. En réalité, il y a autant de religions qu'il y a d'individus. Mais, que ceux qui ont conscience de l'esprit de nationalité ne se mêlent pas de la religion des autres. S'ils le font, ils ne peuvent se

---

22. Cité dans Nicolas Weisbein, *Tolstoï, op. cit.,* p. 116-117.
23. M. K. Gandhi, *Hind Swaraj, op. cit.,* p. 48.

considérer comme une nation. Si les hindous croient que l'Inde doit être peuplée seulement par des hindous, ils vivent alors dans un pays de rêve. Les hindous, les musulmans, les parsis et les chrétiens qui ont fait de l'Inde leur pays sont des concitoyens, et ils vivront en harmonie dans leur propre intérêt [...] [24] »

Gandhi rappelle que l'Inde est un pays de multiples confessions. Cependant, pour Gandhi, la religion comme le *swaraj* est à la fois une affaire privée et un devoir national. Si tous les individus partagent les mêmes valeurs nationales, peu importe l'identité religieuse dont ils se réclament individuellement. Or, à l'époque où Gandhi écrivait le *Hind Swaraj,* il pensait que seuls les villages indiens représentaient les valeurs nationales. Là encore, Gandhi reste fidèle au message de Tolstoï pour qui le paysan est l'homme moral par excellence. Gandhi, à sa manière, suit le modèle rousseauiste de l'homme naturel qu'il trouve dans les écrits de Tolstoï. Le *swaraj* tel qu'il est proposé par Gandhi, dans *Hind Swaraj,* est un retour à la condition naturelle de l'homme contre les aberrations de la civilisation moderne. Pour renouer avec cet état naturel de coopération et de paix, il propose un principe établissant une relation directe entre les fins *(sadhya)* et les moyens *(sadhan).* Ainsi, dans la recherche du *swaraj,* Gandhi donne une importance décisive à la nature des moyens utilisés pour parvenir à la fin poursuivie. Contre la maxime qui affirme que « la fin justifie les moyens », il propose un accord total entre les moyens et la fin. Pour que la fin soit juste et vraie, les moyens doivent être justes et vrais aussi. En d'autres termes, une fin juste ne peut être acquise par des moyens injustes. « Les moyens, écrit Gandhi, sont comme la graine et la fin comme l'arbre. Le rapport est aussi inéluctable entre la fin et les moyens qu'entre l'arbre et la semence [...] on récolte exactement ce que l'on sème [25]. » Et sans doute est-ce la thèse centrale de Gandhi développée dans *Hind Swaraj.* Contre les nationalistes extré-

---

24. M. K. Gandhi, *Hind Swaraj, op. cit.,* p. 52-53.
25. M. K. Gandhi, *Tous les hommes sont frères, op. cit.,* p. 149.

mistes indiens qui proposent la violence comme la stratégie la plus adéquate pour conquérir l'indépendance, Gandhi propose un autre principe stratégique sur lequel il fonde son action politique. Ce principe, c'est celui de la non-violence qui contient déjà en lui le résultat de sa mise en pratique, puisque « la nature même de la résistance non violente est telle que les fruits du mouvement sont contenus dans le mouvement lui-même [26] ». Pour un *satyagrahi*, l'action non violente est déjà une victoire, même si elle se conclut par un échec ; l'action non violente ne dépend pas du résultat de la lutte menée par le *satyagrahi*. « Pour un lutteur, la lutte elle-même est une victoire [27]. » Lutte active contre le mal, la non-violence est moralement plus noble que la violence. Cependant, Gandhi souligne qu'il vaut mieux être violent que lâche, car la non-violence, affirme-t-il, « n'autorise pas à fuir le danger et à laisser sans protection ceux qui nous sont chers [28] ». Sur ce point, il ne faut pas mésinterpréter Gandhi. Dans aucun de ses écrits il ne défend l'action violente, même s'il critique ouvertement et explicitement la couardise. Par exemple, en réponse à la lâcheté de villageois qui avaient pris la fuite pour échapper à la police, il affirme : « J'aurais voulu les voir s'interposer comme bouclier entre les plus forts qui se montraient menaçants et les plus faibles, qu'ils devaient protéger. Sans le moindre esprit de vengeance, ils auraient dû prendre sur eux-mêmes toutes les souffrances du combat, quitte à se faire tuer, et ne jamais fuir devant l'orage. Il y avait déjà un certain courage à défendre à la pointe de l'épée ses biens, son honneur et sa religion. Il aurait été encore plus noble d'en assurer la défense sans rendre le mal pour le mal. Mais il était indigne, immoral et déshonorant d'abandonner son poste et, pour sauver sa vie, de tout laisser à la merci des malfaiteurs [29]. »

---

26. M. K. Gandhi, *Satyagraha in South Africa,* Navijivan Publishing House, Ahmedâbâd, 1961, p. 182-183.
27. *Ibid.,* p. 259.
28. Cité dans *Ce que Gandhi a vraiment dit, op. cit.,* p. 94.
29. M. K. Gandhi, *La Jeune Inde,* Stock, Paris, 1948, p. 106.

Quoi qu'il en soit, Gandhi insiste sur la supériorité morale de la non-violence, qui est l'un des piliers de la civilisation indienne, face à la violence engendrée par la civilisation occidentale moderne. C'est pourquoi il invite les Britanniques à faire un retour aux préceptes du christianisme afin de retrouver le vrai sens du mot « civilisation » : « Si vous abandonnez votre prétendue civilisation et vous cherchez dans vos propres écritures, vous trouverez que nos demandes sont justes. Si seulement l'une des conditions que nous demandons est satisfaite, vous continuerez à vivre en Inde, et si vous continuez à vivre en Inde dans ces conditions, nous apprendrons beaucoup de choses de vous et vous apprendrez beaucoup de choses de nous [...] mais cela n'est possible que si la racine de notre relation est plantée dans un sol religieux [30]. » Le texte original du *Hind Swaraj* est écrit en goujrati. Gandhi y utilise le mot *dharmakshetrme* – c'est-à-dire « dans le domaine du *dharma* » – pour évoquer « la terre religieuse ». Il cite la première phrase de la *Bhagavad-Gîtâ* : « Rassemblés sans le champ sacré, le Kurukshetra, par leur impatience de combattre, qu'ont fait, ô Sanjaya, les guerriers, les miens et ceux de Panclaras [31] ? » Cette phrase, utilisée par Gandhi, renvoie directement à l'idée d'une harmonie de l'univers, où règnent équilibre et régularité. Pour Gandhi, les Indiens et les Britanniques ne peuvent atteindre cette harmonie et cet équilibre que s'ils intègrent chacun à leur manière leur culture moderne dans le cadre de leur culture traditionnelle. Autrement dit, Gandhi, à la manière du vieux Tolstoï, invite les Européens à redécouvrir le message du Christ dans son « Sermon sur la montagne ». Des années plus tard, à Colombo, s'adressant aux membres d'un collège religieux, Gandhi dira la même chose en affirmant : « Ne confondez pas le message de Jésus avec la civilisation moderne [...]. Malgré votre croyance en la grandeur de la civilisation occidentale et malgré

---

30. M. K. Gandhi, *Hind Swaraj, op. cit.,* p. 115.
31. *La Bhagavad-Gîtâ,* Traduction française, Les Belles Lettres, Paris, 1967, p. 5.

votre orgueil concernant vos acquis, je vous invite à exercer l'humilité. Je vous demande de laisser une petite place pour le doute honnête [...]. Essayez par tous les moyens de boire aux sources qui vous ont été données dans le Sermon sur la montagne [...]. Car le Sermon sur la montagne a été exprimé pour nous tous et pour chacun de nous [32]. »

Gandhi restera toute sa vie un disciple de Tolstoï. Un rapide examen de l'œuvre complète de Gandhi justifie cette affirmation. En donnant toute leur pertinence et leur acuité aux vérités formulées par le sage d'Iasnaïa Poliana, Gandhi a réussi à libérer le peuple indien de l'oppression coloniale, tout en lui donnant le courage, la lucidité et la clairvoyance de regarder en face la vérité pour mieux voir ses erreurs. Gandhi avait déclaré un jour : « Une Inde éveillée et libre a un message de paix et de bonne volonté à donner au monde gémissant [33]. »

Aujourd'hui, l'Inde peut être fière, grâce à Gandhi, d'être porteuse de ce message qui annonce à toute l'humanité l'espoir d'un monde meilleur.

---

32. Cité dans Sarve Palli Radakrishnan, *Mahatma Gandhi, Reflections on his Life and Work,* Jairo Publishing House, New Delhi, 1994, p. 392.
33. Cité dans *Ce que Gandhi a vraiment dit, op. cit.,* p. 158.

## Notice biographique

**1869**  Le *2 octobre,* naissance de Mohandas Karamchand Gandhi à Porbandar.

**1881**  Enfance difficile. Gandhi commence à fumer à l'âge de douze ans. Il songe à se suicider avec un ami pour protester contre le manque d'indépendance.

**1883**  Gandhi se marie. Sa femme, Kasturbaï, est la fille d'un commerçant de Porbandar. Leur union durera soixante et un ans.

**1884**  Le père de Gandhi meurt. Quarante ans plus tard, Gandhi se reprochera encore d'avoir quitté son chevet pour rejoindre sa femme.

**1888**  Gandhi arrive à Londres pour faire des études de droit. Il joue d'abord au dandy, puis s'intéresse à la diététique. Il fait partie de la Société végétarienne d'Angleterre. Il découvre le Nouveau Testament et le livre d'Arnold, *Lumière de l'Asie.* Il lit aussi la *Bhagavad-Gîtâ.*

**1891**  Le *10 juin*, Gandhi s'inscrit au barreau et s'immatricule au registre de la Haute Cour.
Le *11 juin*, il s'embarque pour l'Inde. Il défend son frère, Laxmidas, en conflit avec un fonctionnaire britannique ; il est malmené par un policier indigène. Il décide à nouveau de quitter l'Inde.

| 1893 | En *mai*, il débarque à Durban (Natal) pour se mettre au service d'un commerçant musulman, Dada Abdullah Sheth. |

**1893** En *mai*, il débarque à Durban (Natal) pour se mettre au service d'un commerçant musulman, Dada Abdullah Sheth.

Quelques jours après son arrivée, Gandhi connaît sa première expérience du racisme sud-africain : il se fait expulser d'un train parce qu'il détenait un billet de première classe.

Arrivé à Pretoria, Gandhi réunit la communauté indienne. Il a vingt-quatre ans. C'est la première fois qu'il parle en public.

**1894** Rencontre avec le christianisme.

**1896** Retour en Inde. Gandhi se rend à Bombay pour y organiser un meeting sur l'Afrique du Sud. Lors du même voyage, il rencontre Gokhale et Tilak.

**1897** Le 13 juillet, retour au Natal avec sa femme. Attaqué par un groupe de Blancs, Gandhi est escorté par la police.

**1899-1902** Guerre des Boers. Gandhi fonde un corps d'ambulanciers indiens.

**1901-1902** Gandhi s'installe à nouveau en Inde, puis repart pour l'Afrique du Sud. Il reprend sa profession d'avocat à Johannesburg.

**1903** Gandhi s'associe à un groupe de chrétiens et de théosophes appelé le Seekecs' Club. Rencontre Henry S. Polak. Sous son influence, il lit *Unto this Last* de Ruskin.

**1904** Gandhi fonde l'ashram de Phoenix où il crée son journal, *Indian Opinion*.

**1906** Révolte des Zoulous au Transvaal. Ganghi s'engage à nouveau comme brancardier volontaire. Il décide d'éviter tout rapport sexuel et de vivre dans le célibat. En *septembre*, Gandhi parle devant trois mille personnes au Théâtre impérial de Johannesburg contre la « loi noire » obligeant tous les Indiens à se faire inscrire auprès des autorités. Il lance le *satyagraha*.

**1908**     En *janvier*, Gandhi est emprisonné pour avoir refusé l'inscription. En prison, il lit les œuvres de Tolstoï, Platon, Ruskin, Carlyle, etc. Le *30 janvier*, le général Smuts, ministre de la Défense et des Finances de l'Union sud-africaine, propose à Gandhi d'accepter l'enregistrement volontaire en échange de l'abrogation de la loi. Gandhi lui fait confiance. Il s'inscrit après sa libération, mais Smuts revient sur sa promesse. Gandhi brûle alors les certificats d'enregistrement et est à nouveau emprisonné. Là, il découvre l'essai de Thoreau.

**1909**     Correspondance avec Tolstoï, qui meurt le *7 (20) octobre* de l'année suivante.
Départ pour Londres. Gandhi écrit *Hind Swaraj* pendant son voyage de retour en Afrique du Sud.

**1913**     Smuts fait décider par la Cour suprême que seuls les mariages chrétiens seront déclarés légaux en Afrique du Sud. Gandhi prend la tête de cinquante mille Indiens en grève. Il est incarcéré, mais Londres fait pression sur Smuts.

**1914**     Le *30 juin*, accord Gandhi-Smuts. Les mariages non chrétiens deviennent légaux.

**1915**     Le *9 janvier*, Gandhi débarque à Bombay accompagné de sa femme Kasturbaï. Rencontre avec Gokhale et Tagore. Il s'installe dans un ashram à Ahmedâbâd et décide de découvrir l'Inde.

**1916**     En *décembre*, Gandhi assiste à la session annuelle du Parti du Congrès national indien à Lucknow. Rencontre décisive avec Raykoumar Choukla, un paysan de Champaran.

**1917**     Gandhi arrive à Champaran. Il est cité à témoigner devant un tribunal à Motihari. Une foule énorme le soutient. Le juge, déconcerté, le laisse partir sans caution. La bataille de Champaran est gagnée.

Les ouvriers du textile d'Ahmedâbâd revendiquent une augmentation de salaire. Gandhi accepte de les défendre et décide de jeûner pour soutenir leur lutte. Finalement, les patrons capitulent et accordent une augmentation.

**1918** Fin de la Première Guerre mondiale. La Grande-Bretagne promulgue la loi Rowlatt qui prolonge en temps de paix les restrictions des libertés du temps de guerre. Gandhi propose au Parti du Congrès une suspension totale de l'activité dans toute l'Inde (le *hartal*).

Le *13 avril*, le général Dyer ordonne aux soldats de tirer sur la foule à Amritsar. Il y aura trois cents morts et près d'un millier de blessés. Dyer passe en jugement et démissionne.

**1919** En *novembre,* Gandhi participe à une conférence musulmane pour le soutien du Califat.

**1920** Il parcourt inlassablement les villages indiens et propose le rouet comme nouveau symbole du drapeau du Congrès.

**1922** Pour ses activités, Gandhi est arrêté et condamné à six ans de prison.

**1924** En *janvier,* Gandhi est opéré de l'appendicite en prison. Il est libéré la même année.

**1925** Il est choisi pour la présidence du Congrès et prescrit le *khadi*, le coton filé à la main, comme emblème.

**1926** Le *1er avril*, lord Irwin devient vice-roi de l'Inde. Le *3 février*, la commission Simon débarque à Bombay pour faire un rapport sur l'Inde. Elle est boycottée par les Indiens.

**1928** Réunion du Congrès. Chandra Bose et les autres membres déclarent la « guerre civile ». Gandhi demande une année de préavis aux Anglais avant de proclamer l'indépendance.

**1929**   En *décembre*, Gandhi rencontre lord Irwin qui lui promet une table ronde avec des délégués indiens.
Le *31*, le Congrès proclame l'indépendance de l'Inde.

**1930**   En *mars*, Gandhi entreprend une marche, de son ashram à Dandi, qui enfreint les lois sur le sel. Des milliers de manifestants procèdent au ramassage illégal du sel.
En *mai*, il est arrêté. Soixante mille personnes sont emprisonnées.
En *août*, première conférence de la table ronde à Londres, sans les représentants du Congrès, sauf Jinnah, le musulman.

**1931**   En *janvier*, Irwin libère Gandhi.
*13 septembre-5 décembre :* Gandhi séjourne à Londres pour la deuxième conférence de la table ronde. Il rencontre le roi et la reine, et Charlie Chaplin.
En *décembre*, sur le chemin du retour en Inde, Gandhi s'arrête en Suisse et en Italie. Il a des entretiens avec Romain Rolland et Mussolini.

**1932**   Le *4 janvier*, Gandhi est de nouveau arrêté et incarcéré à la prison de Yeravda.
Le *17 août*, la Grande-Bretagne introduit un régime électoral séparé pour les Intouchables.
Le *20 septembre*, Gandhi commence en prison un jeûne illimité. Le *24*, le pacte de Yeravda est conclu entre Ambedkar et les hindous.

**1934**   Gandhi prend ses distances avec le Congrès. Il entreprend une tournée dans les villages.

**1939**   Le *14 septembre*, le Congrès condamne l'agression nazie en Pologne et offre une aide militaire à la Grande-Bretagne, en échange de l'indépendance. Gandhi rompt avec le Congrès.

| | |
|---|---|
| **1942** | Le *13 avril*, il lance le mot d'ordre « Quit India » et il fait appel à la désobéissance civile. Il est arrêté et envoyé à Yeravda dans un palais appartenant à l'Aga Khan. |
| **1944** | Le *22 février*, mort de Kasturbaï. |
| **1945** | En *juin*, conférence de Simla. Lord Wavell propose aux Indiens de faire partie du Conseil exécutif du vice-roi. Jinnah veut représenter l'Inde musulmane. La conférence est un échec. |
| **1946** | En *août*, Jinnah lance une journée d'action directe. Il y a cinq mille morts et quinze mille blessés à Calcutta. |
| **1947** | Le *20 février,* Clement Atlee annonce aux Communes que le dernier vice-roi, lord Mountbatten, quittera l'Inde avant le mois de juin 1948. Le *15 août,* le drapeau de l'Inde remplace l'Union Jack. Création du Pakistan : l'Inde est coupée en deux. Gandhi se trouve à Calcutta où musulmans et hindous s'entre-tuent. Le *20 septembre*, Gandhi décide un jeûne illimité pour arrêter les massacres. Quelques jours plus tard, il obtient la paix à Calcutta et visite les camps de réfugiés. |
| **1948** | Le *13 janvier*, Gandhi recommence à jeûner. Il exige des engagements écrits pour protéger la vie et les biens des musulmans. Le *18 juin*, le jeûne est rompu. Le *20 janvier*, une bombe est lancée sur Birla House où Gandhi fait sa prière publique. L'attentat est revendiqué par un groupe d'extrémistes hindous. Le *30 janvier*, Gandhi est assassiné à Birla House par Nathuram Godsé, rédacteur en chef de l'hebdomadaire prohindou *Mahasabha*. Gandhi s'effondre en murmurant le nom de Ram. Les cendres de Gandhi sont dispersées dans les eaux sacrées du Gange et de la Jamma, les deux grands fleuves de l'Inde. |

# Bibliographie

AUCOUTURIER Michel, Tolstoï, Seuil, « Écrivains de toujours », Paris, 1996.

BAKSHI S. R., *Gandhi and Hindu-Muslim Unity*, Criterion Publications, New Delhi, 1987.

BALASUBRAMANIAN R., *Tolerance in Indian Culture*, Indian Council of Philosophical Research, New Delhi.

BAYLEY John, *Leo Tolstoy*, North Cote House, 1997.

BERLIN Isaiah, *The Hedgehog and The Fox*, Phoenix, Londres, 1992.

*Bhagavad-Gîtâ*, traduction française, Éditions Mille et Une Nuits, Paris, 1997.

BHARATHI K. S., *The Philosophy of Sarvodaya*, Indus Publishing Company, New Delhi, 1990.

BORMAN William, *Gandhi and Non-Violence*, State University of New York Press, 1986.

CARRITHERS Michael, *The Buddha*, Oxford University Press, 1996.

CHACKO K.C., *Metaphysical Implications of Gandhian Thought*, Mittal Publications, New Delhi, 1986.

CHATTERJEE Margaret, *Gandhi's Religious Thought*, MacMillan, Londres, 1985.

CHOUDURI Manmohan, *Exploring Gandhi*, The Gandhi Peace Foundation, New Delhi.

CLÉMENT Catherine, *Gandhi, athlète de la liberté*, Gallimard, « Découvertes », Paris, 1989.

COELHO Robert, *World's Tributes to Mahatma*, Dharwar, 1948.

COPLEY Antony, *Gandhi against the Tide*, Oxford University Press, Calcutta, 1993.

DALTON Dennis, *Mahatma Gandhi*, Columbia University Press, New York, 1993.

DAS Amita, *India : Impact of the West*, Popular Prakashan, Bombay, 1994.

DESAI Mahadev, *The Gospel of Selfless Action or the Gita According to Gandhi*, Navajivan Publishing House, Ahmedâbâd, 1991.

DHARAMPAL, *Civil Disobedience and Indian Culture*, Sarva Sevagangli, Varanasi, 1971.

DHAWAN R. K., *Henry David Thoreau*, Classical Publishing Company, New Delhi, 1985.

DIWAKAR R. R., *My Encounter with Gandhi*, The Gandhi Peace Foundation, New Delhi, 1989.

DIWAN Romesh, *Essays in Gandhian Economics*, The Gandhi Peace Foundation, New Delhi, 1985.

DREVET Camille, *Gandhi*, Presses universitaires de France, Paris, 1967.

DREVET Camille, *Gandhi et l'Inde nouvelle*, Centurion, Paris, 1959.

EMERSON Ralph Waldo, *Selected Essays*, Penguin Books, Londres, 1982.

FISCHER Louis, *The Life of Mahatma Gandhi*, Bharatiya Vidya Bharan, Bombay, 1990.

FLAK Micheline, *Thoreau*, Seghers 91, Paris, 1973.

GALTUNG Johan, *The Way is the Goal : Gandhi Today*, Gujarat Vidyapith, Peace Research Centre, Ahmedâbâd, 1992.

GANDHI Gopalkrishna, *Gandhi and South Africa 1914-1948*, Navajivan Publishing House, Ahmedâbâd, 1993.

GANDHI Indira, *What I Am*, Indira Gandhi Memorial Trust, 1989.

GANDHI Mahatma, *Fellowship of Faiths and Unity of Religions*, Gandhi Book House, New Delhi, 1990.

GANDHI M. K., *Socialism of my Conception*, Bharatiya Vidya Bhavan, Bombay, 1966.

GANDHI M. K., *Hindu Dharma*, Orient Paperbacks, New Delhi, 1995.

GANDHI M. K., *Hind Swaraj*, Cambridge University Press, 1997.

GANDHI M. K., *The Message of Jesus Christ*, Bharatiya Vidya Bhavan, Bombay, 1986.

GANDHI M. K., *Untouchability*, Navajivan Publishing House, Ahmedâbâd, 1959.

GANDHI M. K., *The Collected Works of Mahatma Gandhi* (100 vol.), Publication Division Ministry of Information, Govt. of India, 1958-1994.

GANDHI M. K., *Discourses on the Gîtâ*, traduit du goujrati par Valji Govindji Desai, Navajivan Publishing House, 1993.

GANDHI M. K., *Temples and Mosques*, Karnataka Gandhi Smarak Nidhi, Bangalore, 1993.

GANDHI M. K., *Character and Nation Building*, Navajivan Publishing House, Ahmedâbâd, 1994.

GANDHI M. K., *Satyagraha in South Africa*, traduit du goujrati par Valji Govindj Desai, Navajivan Publishing House, Ahmedâbâd, 1995.

GANDHI M. K., *The Message of Jesus Christ*, Bharatiya Vidya Bhavan, Bombay, 1986.

GANDHI M. K., *My God*, Navajivan Publishing House, Ahmedâbâd, 1995.

GANDHI M. K., *Autobiographie ou mes expériences de vérité*, PUF, « Quadrige », 1982.

GANDHI M. K., *Trusteeship*, Navajivan Publishing House, Ahmedâbâd, 1994.

GANDHI M. K., *Journalist Gandhi*, Gandhi Book Centre, Bombay, 1994.

GANDHI M. K., *The Way to Communal Harmony*, Navajivan Publishing House, Ahmedâbâd, 1994.

GANDHI M. K., *Non-Violent Resistance (Satyagraha),* Schocken Books, New York, 1961.

GANDHI M. K., *India of my Dreams,* Navajivan Publishing House, Ahmedâbâd, 1970.

GANDHI M. K., *Khadi,* Navajivan Publishing House, Ahmedâbâd, 1959.

GANDHI M. K., *An Autobiography or the Story of my Experiements with Truth,* Navajivan Publishing House, Ahmedâbâd, 1972.

GANDHI M. K., *Great Lives, Great Words,* Ministry of Information & Broadcasting Government of India, New Delhi, 1994.

GANDHI M. K., *The Removal of Untouchability,* Navajivan Publishing House, Ahmedâbâd, 1959.

GANDHI M. K., *Constructive Programme,* Navajivan Publishing House, Ahmedâbâd, 1989.

GANDHI M. K., *The Message of the Gîtâ,* Navajivan Publishing House, Ahmedâbâd, 1995.

GANDHI M. K., *Essays and Reflections on his Life and Work,* S. Radakrishnan Éd., Jaico Publishing House, Bombay, 1994.

GANDHI M. K., *Résistance non violente,* Buchet/Chastel, Paris, 1986.

GANDHI M. K., *The New India of my Dreams,* Bharatiya Vidya Bhavan, Bombay, 1993.

GANDHI M. K., *The Moral Basis of Vegetarianism,* Navajivan Publishing House, Ahmedâbâd, 1959.

GANDHI M. K., *Truth is God,* Navajivan Publishing House, Ahmedâbâd, 1955.

GANDHI M. K., *Unto this Last,* Navajivan Publishing House, Ahmedâbâd, 1956.

GANDHI Rajmohan, *The Good Boatman,* Viking, New Delhi, 1995.

GAUTIER François, *The Wonder that is India,* Voice of India, New Delhi, 1994.

GROVER Verinder, *Gandhi and Politics in India,* Deep & Deep Publications, New Delhi, 1996.

GUJRAL M. L., *Thus Spoke Bapu,* Gandhi Peace Foundation, New Delhi, 1985.

GUPTA S.P.K., *Apostle John and Gandhi,* Navajivan Publishing House, Ahmedâbâd, 1988.

HASAN Z., *Gandhi and Ruskin,* Shree Publishing House, New Delhi, 1980.

HERBERT Jean, *Ce que Gandhi a vraiment dit,* Marabout Université, Paris, 1974.

HUNT James D., *Gandhi in London,* Promilla & Co. Publishers, New Delhi, 1993.

IYER Raghavan, *Gandhi (The Global Nonviolent Transformation),* Gandhi Smriti & Dharshan Samiti, New Delhi, 1994.

IYER Raghavan, *The Essential Writings of Mahatma Gandhi,* Oxford University Press, New Delhi, 1995.

IYER Raghavan, *The Moral and Political Writings of Mahatma Gandhi,* vol. II, *Truth and Non-Violence,* Clarendon Press, Oxford, 1986.

IYER Raghavan, *The Gandhian Bridge between Heaven and Earth,* Gandhi Smriti and Dharshan Samiti, New Delhi, 1988.

IYER Raghavan, *The Moral and Political Writings of Mahatma Gandhi,* vol. III, *Non-Violent Resistance and Social Transformation,* Clarendon Press, Oxford, 1987.

JACK Homer A., *The Wit and Wisdom of Gandhi,* The Beacon Press, Boston, 1951.

JOSHI Pushpa, *Gandhi on Women,* Centre for Women's Development Studies, New Delhi, 1988.

KAPOOR Archna, *Gandhi's Trusteeship,* Deep & Deep Publications, New Delhi, 1993.

KIM S.K., *The Philosophical Thoughts of Mahatma Gandhi,* Vikas Publishing House, New Delhi, 1996.

KUMAR Prem, *Comparative Ethics of Gandhi and Kant,* Classical Publishing Company, New Delhi, 1996.

LASSIER Suzanne, *Gandhi,* Éditions du Seuil, Paris, 1970.

MAHADEVAN T. K., *Truth and Nonviolence,* Gandhi Peace Foundation, New Delhi, 1969.

MAHAJAN P. Mani, *Foundations of Gandhian Thought,* Dattsons, New Delhi, 1987.

MAHARAJAN M., *Gandhian Thought,* Sterling Publishers Private Limited, New Delhi, 1996.

MALHOTRA S. L., *Mahatma Gandhi and the Indian National Congress,* Publication Bureau Panjab University, 1988.

MAROGER Dominique, *Les Idées pédagogiques de Tolstoï,* L'Âge d'homme, Lausanne, 1974.

MASHROUWALA Krishorlâl, *Gandhi et Marx,* Denoël, Paris, 1957.

MATHER Marshall, *John Ruskin,* Frederick Warne and Co., London, 1903.

MCLAUGHLIN Elizabeth, *Ruskin and Gandhi,* Associated University Press, London, 1974.

MEHTA Ved, *Mahatma Gandhi and his Apostles,* Penguin Books, America, 1977.

MENDE Tibor, *Conversations avec Nehru,* Seuil, Paris, 1946.

MENON Lakshmi V., *Ruskin and Gandhi,* Sarva Seva Sangh Prakashan, Varanasi, 1965.

MISHRA Anil Dutta, *Gandhian Approach to Contemporary Problems,* Mittal Publications, New Delhi, 1996.

MOHAN Rao U. S., *Gandhiji (Sketches of Eminent Men and Women by Mahatma Gandhi),* National Book Trust, India, 1993.

MUKHERJEE Rudrangshu, *The Penguin Gandhi Reader,* Penguin Books, New Delhi, 1993.

MULLER Jean-Marie, *Gandhi (La sagesse de la non-violence),* Desclée de Brouwer, Paris, 1994.

MYERSON Joel, *Henry David Thoreau,* Cambridge University Press, 1993.

NAG Kalidas, *Tolstoy and Gandhi,* Pustak Bhanda, Patna, 1950.

NANDA B. R., *Gandhi and Religion,* Gandhi Smriti, New Delhi, 1990.

NANDA B. R., *Gandhi and his Critics,* Oxford University Press, New Delhi, 1996.

NANDA B.R., *Mahatma Gandhi,* Oxford University Press, New Delhi, 1996.

NARASIMHAIAH, *Gandhi and the West,* University of Mysore.

NEHRU Jawaharlal, *Mahatma Gandhi,* Bombay, 1989.

PANDYA Jayant, *Gandhiji and his Disciples,* National Book Trust, New Delhi, 1994.

PAREKH Bhikhu, *Gandhi's Political Philosophy,* Ajanta, New Delhi 1995.

PATTERY George, *Gandhi – The Believer,* Ispek, New Delhi 1996.

PERCHERON Maurice, *Le Bouddha et le Bouddhisme,* Le Seuil, Paris, 1954.

PORTE Joel, *Emerson and Thoreau, Transcendantalists in Conflict,* Wesleyan University Press, Wesleyan, 1966.

POWR Paul F., *Gandhi on World Affairs,* The Perennial Press, Bombay, 1961.

PRABHU R. K., *Mohan – Mala,* Navajivan Publishing House, Ahmedâbâd, 1993.

PROUST Marcel, *Journées de lecture,* Union générale d'édition, Paris, 1993.

RADHAKRISHNAN N., *Journal of Gandhi,* Smriti and Darshan Samiti, New Delhi, 1996.

RADHAKRISHNAN N., *Gandhi (The Quest for Tolerance and Survival),* Gandhi Media Centre, 1995.

RADHAKRISHNAN S., *Great Indians,* Hind Kitabs Ltd., Bombay, 1949.

RADHAKRISHNAN S., *Mahatma Gandhi 100 Years,* Gandhi Peace Foundation, New Delhi, 1994.

RADHAKRISHNAN S., *La Bhagavad-Gîtâ,* Adyar, Paris, 1954.

RADHAKRISHNAN S., *Our Heritage,* Orient Paperbacks, New Delhi, 1989.

RAU Heimo, *Mahatma Gandhi,* Rowohlt, 1995.

RAY Baren, *Gandhi's Campaign Against Untouchability 1933-1934,* Gandhi Peace Foundation, New Delhi, 1996.

REFALO Alain, *Tolstoï (La quête de la verité),* Desclée de Brouwer, Paris, 1997.

RICHARDS Glyn, *The Philosophy of Gandhi,* Curzon Press, Londres, 1991.

ROLLAND Romain, *Correspondance with Gandhi,* Ministry of Information, New Delhi, 1976.

ROY Kshitis, *Gandhi Memorial,* Santiniketan Press, Santiniketan, 1949.

ROY Ramashray Roy, *Gandhi,* Chanakya Publications, New Delhi, 1984.

ROY Ramashray, *Gandhi and the Present Global Crisis,* Indian Institute of Advanced Study, Shimla, 1996.

ROY Rita, *Everyone's Gandhi,* Gandhi Peace Foundation, New Delhi, 1997.

ROY-CHOWDHURY Sumitra, *The Gurudev and the Mahatma,* Shubhada Saraswat Publications, 1982.

RUSKIN John, *Time and Tide,* Oxford University Press, Oxford, 1928.

RUSKIN John, *Selected Writings,* Everyman, Londres, 1995.

RUSKIN John, *Unto this Last,* Penguin Books, Londres, 1985.

RUSKIN John, *Selected Writings,* Penguin Books, Londres, 1991.

Sainte Bible, traduit par Louis Ségond, Paris, 1948.

SATYANARAYAN, *Mahatma Gandhi and Kashmir,* Gandhi Peace Foundation, New Delhi, 1996.

SATYANARAYAN, *Gandhi and Caste Politics,* Gandhi Peace Foundation, New Delhi, 1997.

SEN Ela, *Gandhi,* Valiant Publications Ltd., Londres, 1948.

SEN N. B., *Wit and Wisdom of Mahatma Gandhi,* New Book Society of India, New Delhi, 1995.

SHRI RAM SHARMA, *Gandhi,* Rajan, Chandigarh, 1985.

SHUKLA Chandra Shanker, *Incidents of Gandhiji's Life,* Vora & Co. Publishers Ltd., Bombay, 1949.

SINGH Ramjee, *Gandhi and the Modern World,* Classical Publishing Company, New Delhi, 1988.

SINGH Ramjee, *The Relevance of Gandhian Thought,* Classical Publishing Company, New Delhi, 1983.

SINHA S.N., *Gandhian Philosophy of Sarvodaya,* Classical Publishing Company, New Delhi, 1990.

TAHTINEN Unto, *The Core of Gandhi's Philosophy,* Abhinav Publications, New Delhi, 1979.

TENDULKAR D. G., *Mahatma, Life of Mohandas Karamchand Gandhi,* 8 volumes, Publications Division, Govt. of India, New Delhi, 1953.

THOREAU H. D., *La Désobéissance civile,* Mille et Une Nuits, Paris, 1967.

THOREAU H. D., *Great Short Works of Henry David Thoreau,* Harper & Row, 1982.

THOREAU H. D., *Désobéir,* Éditions de L'Herne, Paris, 1994.

THOREAU H. D., *Civil Disobedience,* Penguin Books, Londres, 1995.

TIWARI K. N., *World Religions and Gandhi,* Classical Publishing Company, New Delhi, 1988.

*Tolérance,* Éditions Saurat, Unesco, Paris, 1995.

TOLSTOÏ Léon, *Guerre et Paix,* Traduction par Henri Mongault, « Bibliothèque de la Pléiade », Paris, 1952.

TOLSTOÏ Léon, *Pourquoi les homme utilisent-ils des stupéfiants,* Le Castor Astral, Paris, 1996.

TOLSTOÏ Léon, *Tolstoï, philosophe et penseur religieux,* Institut d'études slaves, Paris, 1985.

TOLSTOÏ Léon, *Colloque international Tolstoï,* 1978, Institut d'études slaves, Paris, 1980.

TOLSTOÏ Léon, *Autour d'Optino,* Institut d'études slaves, Paris, 1993.

TOLSTOY Léo, *Writings on Civil Disobedience and Nonviolence,* New Society Publishers, Philadelphie, 1987.

TOLSTOY Léo, *On Education, Tolstoy's Educational Writings 1861-1862,* The Athlone Press, Londres, 1982.

TOLSTOY Léo, *What is Art ?* Penguin Books, Londres, 1995.

TOLSTOY Léo, *A Confession and other Religious Writings,* Penguin Books, Londres, 1987.

TOLSTOY Léo, *Anna Karenina,* Cliffs Notes, États-Unis, 1996.

TOLSTOY Léo, *War and Peace,* Cliffs Notes, États-Unis, 1996.

TOLSTOY Léo, *War and Peace,* Monarch Press, New York, 1965.


UPADHYAYA J. M., *Mahatma Gandhi As A Student,* Ministry of Information and Broadcasting, New Delhi, 1994.


WEBER Thomas, *Conflict Resolution and Gandhian Ethics,* The Gandhian Peace Foundation, New Delhi, 1991.

WEISBEIN Nicolas, *Tolstoï,* PUF, Paris, 1968.

WILSON A. N., TOLSTOY, Penguin Books, Londres, 1988.

## Périodiques

*Alternatives non violentes,* n° 102, printemps 1997.

Collection Diogène, *L'Inde millénaire et actuelle,* Gallimard, 1965.

*Croissance,* décembre 1988.

*Études,* janvier 1991.

*Études,* juillet-août 1997.

*Gandhi Marg,* janvier-mars 1992 - avril-juin 1995 - juillet-septembre 1995 – octobre-décembre 1995 - janvier-mars 1996 – octobre-décembre 1996

*Indian Horizons : Gandhi 125 Years,* vol. 43, n° 4, New Delhi, 1995.

*Non-Violence Actualité :* « Gandhi, artisan de la non-violence », Paris 1991.

# Table des matières

# Table des matières

CET OUVRAGE, PUBLIÉ SOUS L'ÉGIDE DE KIRON,
CENTRE D'ART, DE CULTURE ET DE COMMUNICATION
DU GROUPE PALLADIUM,
A ÉTÉ IMPRIMÉ PAR L'IMPRIMERIE DARANTIERE À QUETIGNY
POUR LE COMPTE DES ÉDITIONS DU FÉLIN
EN OCTOBRE 1998

*Imprimé en France*

Dépôt légal : 4ᵉ trimestre 1998
Nº d'impression : 98-1043

# KAUTILYA

# Arthasastra

## Traité politique et militaire
## de l'Inde ancienne

Présentation de
GÉRARD CHALIAND

EDITIONS
DU FELIN

Chef-d'œuvre de la littérature politico-militaire indienne, ce texte, dont on nous propose ici les fragments essentiels, est vieux de plus de deux mille ans. On ne peut manquer de faire le rapprochement avec le traité de stratégie chinois de Sun Zi, *le Prince* de Machiavel et *L'Homme de cour* de Gracian. Car cette « *science du politique* » est entièrement immergée dans une vision « *matérialiste* » de la puissance étatique.

128 pages, 100 F                                            *Libération*

HISTOIRE

ÉDITIONS
DU FÉLIN

# LA GUERRE DES DIEUX

## Michael Löwy

## Religion et politique en Amérique latine

Symbole de l'engagement des chrétiens contre les dictatures et les ravages du capitalisme, la théologie de la Libération a profondément marqué l'histoire de l'Amérique latine [...] Michaël Löwy montre bien ce que sa contestation radicale du capitalisme doit à un courant traditionnel, et toujours actuel, du catholicisme...

Serge LAFITTE
*Actualité religieuse*

226 pages, 138 F

HISTOIRE

ÉDITIONS
DU FÉLIN

# COMENIUS

Olivier Cauly

… Pour Comenius, philosophe et praticien de la pédagogie, la formation est permanente, l'école de la vie et l'éducation au sens strict ne doivent pas être séparées, ni les activités manuelles et intellectuelles. […] Fort de son érudition historique, Olivier Cauly, agrégé de philosophie, met bien en lumière les liens entre religion, nationalisme et éducation. Bien écrit et fortement analytique, son livre dépeint une figure d'exception méconnue, un homme que Michelet qualifia de « *Galilée de l'éducation* ».

342 pages, 145 F                    M.S., *Le Monde de l'éducation*